NGCIYIDIANTONG

§ 实用汉语学习丛书

量词一点通
The Prompt Understanding of Measure Words

何杰 编著

北京语言大学出版社

（京）新登字 157 号

图书在版编目（CIP）数据

量词一点通/何杰编著.
—北京:北京语言大学出版社,2003
（实用汉语学习丛书）
ISBN 7-5619-1205-6

Ⅰ.量…

Ⅱ.何…

Ⅲ.汉语-数量词-对外汉语教学-教学参考资料

Ⅳ.①H195.4　②H146.2

中国版本图书馆 CIP 数据核字(2003)第 026948 号

责任印制:乔学军
出版发行:北京语言大学出版社
社　　址:北京市海淀区学院路 15 号　邮政编码:100083
网　　址:http://www.blcup.com
印　　刷:北京师范大学印刷厂
经　　销:全国新华书店
版　　次:2003 年 12 月第 1 版　2003 年 12 月第 1 次印刷
开　　本:787 毫米×1092 毫米　1/32　印张:11.5
字　　数:199 千字　印数:1—5000 册
书　　号:ISBN 7-5619-1205-6/H・03036
　　　　　2003DW0042
定　　价:28.00 元

出版部电话:010—82303590
发行部电话:010—82303651　82303591
　　　　传真:010—82303081
E-mail:fxb @ blcu.edu.cn

编写说明

　　量词为汉藏语系所独有,学习和应用汉语量词对于外国人都比较困难。为了帮助外国人在用汉语交际时能够正确、贴切地表量、达意,我们编写了这本书。

　　《量词一点通》是一本配合初级汉语学习的辅助教材,也是供外国人用汉语交际时查阅的小词典。适合于零起点或稍有一点汉语基础的留学生、外籍工作人员及其他外国人使用。

　　本书选取了生活常用量词 157 个。包括名量词、动量词、兼职量词、复合量词四大类。重点在名量词,名量词中包括:个体量词、集合量词、部分量词、容器量词、临时量词。

　　本书体例:每个量词下列出它的常用义

项。每个义项下列出用法解释,英语释义。根据不同量词安排:搭配示例、短语示例、语境示例或附有说明。为便于使用,书后附有《汉英表量对照表》、《名词、量词搭配表》。

　　本书图文并茂,体例活泼。力求体现教材的实用性、趣味性、科学性的完美统一。

　　　　　　　　　　　何杰　教授

Editorial Note

Measure words, a unique feature of the Han-Tibetan language family, are difficult to learn and use for foreigners. For this reason, this book has been designed to enable learners to use them correctly and appropriately in the daily communication.

The Prompt Understanding of Measure Words is a supplementary textbook of the course of elementary Chinese as well as a small dictionary, which can be used by foreigners in the everyday intercourse. Apart from the beginners and those with a knowledge of elementary Chinese, it is also suitable for foreign employees and other foreigners.

The book covers 157 common measure words in the following four categories: measure words for nouns, measure words for verbs, double-function measure words and compound measure words. However, the focus has been put on the measure words for nouns, which consist of individual, collective, partial, container and temportary measure words.

The book has been arranged in the following way: The basic meanings of each measure word are followed by usage explanations and English translations. Moreover, typical examples of collocations, phrases, expressions used in special situations, or notes are arranged according to the needs of various measure words. "Collocations of Measure Words and Nouns" and "A Chinese and English Bilingual List of Basic Measure Words" are furnished at the end of this book so that it can be easily used.

This book is excellent in both pictures and language, characterized with a lively style, striving to attain the perfect integration of practicality, interest and scientific characteristics.

Prof. He Jie

目　录
Contents

量词索引

**An Alphabetical List
of Measure Words**

量词及用法

**Measure Words
and Their Usages**

B

 bǎ

兼职量词 Double-function measure word

☺ 作名量词也作动量词。

Measure word either for nouns or verbs.

用法 1

◀用法解释▶

表个体量：用于有把手或类似有把手的东西。

Individual measure word for a thing with a handle or something like a handle.

作名量词。

Measure word for nouns.

◀搭配示例▶

一把——

扇子
shànzi

剪子（剪刀）
jiǎnzi(jiǎndāo)

梳子
shūzi

椅子
yǐzi

其他搭配示例：

伞 sǎn	…………	umbrella
壶 hú	…………	kettle
勺 sháo	…………	spoon
叉子 chāzi	…………	fork
钥匙 yàoshi	…………	key
锁 suǒ	…………	lock

用法 2

◀用法解释▶

表示一把的量：用于一手可以抓起来的东西。

Measure word for a quantity of something that can be held in one hand.

◀搭配示例▶

一把——

开心果
kāixīnguǒ

花生
huāshēng

其他搭配示例：

瓜子儿 guāzǐr	....	melon seeds
枣儿 zǎor	....	Chinese date
葡萄干儿 pútáogānr	....	raisin
沙子 shāzi	....	sand
石子儿 shízǐr	....	pebble

用法 3

◀用法解释▶

用于表示小捆成束的东西。

Measure word for something fastened together.

◀搭配示例▶

一把——

芹菜
qíncài

香蕉
xiāngjiāo

其他搭配示例：

鲜花 xiānhuā ············ flower

挂面 guàmiàn ············ fine dried noodles

用法 4

◀用法解释▶

表个体量：用于表示人的技能。

Individual measure word for people with special skills.

◀语境示例▶

做　菜，老　张　可是　一把　好手。
Zuò cài, Lǎo Zhāng kěshì yì bǎ hǎoshǒu.

姐姐　很　能干，里里外外　都　是
Jiějie hěn nénggàn, lǐ lǐ wài wài dōu shì

一　把　好手。
yì bǎ hǎoshǒu.

☺ 说明：

这里限用数词"一"。

Here "把" can be preceded only by the numeral " 一 ".

用法 5

◀用法解释▶

用于计量同手有关的动作和行为，表示动作快。

Measure word for an action done with the hand to indicate its quickness.

作动量词。

Used as a measure word for verbs.

◀语境示例▶

他 一 把 拉住了 那个 孩子。
Tā yì bǎ lāzhùle nà ge háizi.

孩子 一 把 抓 过来 一个 布 娃娃。
Háizi yì bǎ zhuā guolai yí ge bù wáwa.

司机 一 把 推开了 他。
Sījī yì bǎ tuīkāile tā.

☺ 说明：

这里限用数词"一"。

Here "把" can be preceded only by the numeral "一".

　bān　class; team; shift

定量量词 Definite measure word

用法 1

◀用法解释▶

表集合量：用于一定编制的人。

Measure word for a group of organized people.

◀搭配示例▶

一班——

年轻人
niánqīngrén

飞行员
fēixíngyuán

其他搭配示例：

女学生 nǚ xuésheng ……… schoolgirl

孩子 háizi ……… child

博士生 bóshìshēng ……… doctorate student

☺ 说明：

"班"也可以作序量词。

"班" can also be used as an order measure word.

◀示　　例▶

三　班（第　三　班）学生　没　上　课。
Sān bān(dì-sān bān) xuésheng méi shàng kè.

用法 2

◀用法解释▶

用于定时的交通工具等。

Measure word for scheduled means of transport.

◀短语示例▶

还　有　一　班　公共　汽车
hái yǒu yì bān gōnggòng qìchē

下　一　班　飞机
xià yì bān fēijī

最后　一　班　地铁
zuìhòu yì bān dìtiě

第　一　班　船
dì-yī bān chuán

用法 3

◀用法解释▶

用于定时交接的工作。

Measure word for the work in shifts.

◀语境示例▶

他 的 工作 两 班 倒 。
Tā de gōngzuò liǎng bān dǎo .

你 要 站好 最后 一 班 岗 。
Nǐ yào zhànhǎo zuìhòu yì bān gǎng.

 bàn(r) petal; segment

部分量词 Partial measure word

用法 1

◀用法解释▶

用于表示花瓣。

Partial measure word for petals.

◀搭配示例▶

一瓣——

莲花
liánhuā

玫瑰
méigui

其他搭配示例：

花瓣儿 huābànr ………… petal

用法 2

◀用法解释▶

用于可分裂开的果实。

Segment：partial measure word for a split section of fruit.

◀搭配示例▶

一瓣——

橘子
júzi

蒜
suàn

用法 3

◀ 用法解释 ▶

用于分裂开的东西的量。

Partial measure word to indicate the a-
mount of parted things.

◀ 语境示例 ▶

妈妈 把 苹果 切了 五 瓣。
Māma bǎ píngguǒ qiēle wǔ bàn.

老人 把 面包 掰成 四 瓣。
Lǎorén bǎ miànbāo bāichéng sì bàn.

帮　　**bāng**　　gang

<u>集合量词</u> Collective measure word

用法 1

◀用法解释▶

用于表示人群。

Collective measure word for a crowd or a group of people.

◀搭配示例▶

一帮

小贩
xiǎofàn

老太太
lǎotàitai

其他搭配示例：

学生 xuésheng	………	student
警察 jǐngchá	………	policeman
老头儿 lǎotóur	………	old man
小孩儿 xiǎoháir	………	child
年轻人 niánqīngrén	………	young people
妇女 fùnǚ	………	woman

用法 2

◀ 用法解释 ▶

用于一个小集团的人，具有贬义色彩。

Collective measure word for a small group of people in a derogatory sense.

◀ 搭配示例 ▶

一帮——

小偷 xiǎotōu	··················	thief
坏蛋 huàidàn	··················	rascal

 bāo(r) bale; parcel

集合量词 Collective measure word

用法 1

◀ 用法解释 ▶

用于包好的东西。

Collective measure word for the things wrapped or tied up.

◀搭配示例▶

一包——

饼干　　　　　　　　　　　糖
bǐnggān　　　　　　　　　　táng

其他搭配示例：

衣服 yīfu	················	clothes
茶叶 cháyè	················	tea
点心 diǎnxin	················	dim sum

用法 2

◀用法解释▶

用于已经固定成包的东西。

Collective measure word for the things fixed in bundles.

◀搭配示例▶

一包——

火柴
huǒchái（10 盒）

大米
dàmǐ

其他搭配示例：

烟（20 支）yān ⋯⋯ cigarette

面巾纸 miànjīnzhǐ ⋯⋯ face tissue

 bēi cup; glass

容器量词 Container measure word

◀**用法解释**▶

用于计量液态物。

Used to measure the quantity of liquid.

◀**搭配示例**▶

一杯——

牛奶　　　茶　　　咖啡
niúnǎi　　chá　　kāfēi

◀语境示例▶

给 他 上 一 杯 茶。
Gěi tā shàng yì bēi chá.

服务员 ！来 一 杯 啤酒。
Fúwùyuán! Lái yì bēi píjiǔ.

妈妈 ！给 我 倒 一 杯 水。
Māma! Gěi wǒ dào yì bēi shuǐ.

　　　běn　　　volume

__专职量词__ Proper measure word

◀用法解释▶

用于成卷成册的书、杂志等。

Individual measure word for books or magazines, etc.

◀搭配示例▶

一本——

词典
cídiǎn

画报
huàbào

杂志
zázhì

书
shū

其他搭配示例：

小说 xiǎoshuō ············ novel

 bǐ

集合量词 Collective measure word

用法 1

◀用法解释▶

用于计量书法、绘画。

Measure word for handwriting or painting.

◀短语示例▶

画上　　　几笔画　　写一笔好字
huàshang jǐ bǐ huà　xiě yì bǐ hǎo zì

☺ 说明：

"笔"在这里限于数词"一、几、两"。

Here "笔" can be preceded only by the numeral "一", "几" or "两".

用法 2

◀用法解释▶

用于和钱款、账目有关的事物。

Measure word for a sum of money or an account, etc.

◀ 短语示例 ▶

一 笔 账目
yì bǐ zhàngmù

几 笔 收入
jǐ bǐ shōurù

一 笔 买卖（生意）
yì bǐ mǎimai(shēngyi)

一 笔 财产
yì bǐ cáichǎn

两 笔 经费
liǎng bǐ jīngfèi

两 笔 钱
liǎng bǐ qián

几 笔 债
jǐ bǐ zhài

 biàn time

动量词 Measure word for verbs

◀ 用法解释 ▶

用于有一定过程的行为、动作。

Measure word for the course of an action from the beginning to the end.

◀ 短语示例 ▶

看 一 遍
kàn yí biàn
read once

问了 几 遍
wènle jǐ biàn
ask several times

写了 三 遍
xiěle sān biàn
write three times

复习 两 遍
fùxí liǎng biàn
review twice

其他短语示例：

打一遍太极拳 dǎ yí biàn Tàijíquán

.... practice a series of
taijiquan once

部 bù set

专职量词 Proper measure word

用法 1

◀**用法解释**▶

用于书籍、电影等。

Measure word for films, books, etc.

◀**搭配示例**▶

一部——

| 词典
cídiǎn | 电视剧
diànshìjù |

其他搭配示例：

| 小说 xiǎoshuō | ………… | novel |
| 电影 diànyǐng | ………… | film |

用法 2

◀用法解释▶

用于机器、车辆、电话等。

Measure word for machines, vehicles, telephones, etc.

◀搭配示例▶

一部——

电话
diànhuà

汽车
qìchē

其他搭配示例:

机器 jīqì	············	machine
推土机 tuītǔjī	············	bulldozer

C

 cān

专职量词 Proper measure word

◀用法解释▶

用于吃饭的次数。

Measure word for the frequency of regular meals.

◀短语示例▶

一　餐　饭
yì　cān fàn

其他短语示例:

一 天 有 三 餐　　　一 餐 大 宴
yì tiān yǒu sān cān　　yì cān dà yàn

餐 餐 有 肉　　　　餐 餐 有 鱼
cān cān yǒu ròu　　　cān cān yǒu yú

 céng　storey；layer

部分量词 Partial measure word

用法 1

◀用法解释▶

用于建筑物。

Storey：partial measure word for the storeys of a building.

◀搭配示例▶

一层——

塔　　　　　　　　　台阶
tǎ　　　　　　　　　táijiē

其他搭配示例：

窗子 chuāngzi	⋯⋯⋯⋯	window
门 mén	⋯⋯⋯⋯	door
楼 lóu	⋯⋯⋯⋯	floor

■用法 2

◀用法解释▶

用于层层的人群。

Partial measure word for layer upon layer of people.

◀语境示例▶

一 层 又 一 层 的 工人 围住了
Yì céng yòu yì céng de gōngrén wéizhùle

他 。
tā .

房子 外面 站着 一 层 一 层
Fángzi wàimian zhànzhe yì céng yì céng

的 警察 。
de jǐngchá.

一 层 一 层 的 人群 把 街口
Yì céng yì céng de rénqún bǎ jiēkǒu

堵上 了 。
dǔshang le .

用法 3

◀用法解释▶

用于东西表面的量。

Layer: partial measure word for an outer covering.

◀搭配示例▶

一层——

冰
bīng

奶油
nǎiyóu

其他搭配示例：

灰 huī	…………	dust
雪 xuě	…………	snow

场 cháng

兼职量词 Double-function measure word

☺作名量词也作动量词。

Measure word for both nouns and verbs.

用法 1
◀用法解释▶

用于事物发生的过程。

A measure word for the course of an event.

作名量词。

Measure word for nouns.

◀搭配示例▶

一场——

争论 zhēnglùn	…………	arguement
战争 zhànzhēng	…………	war
官司 guānsi	…………	lawsuit
灾难 zāinàn	…………	disaster
风波 fēngbō	…………	disturbance

用法 2

◀用法解释▶

用于自然现象的过程。

Measure word for the course of a natural phenomenon.

◀搭配示例▶

一场——

大火
dàhuǒ

大雪
dàxuě

其他搭配示例：

大风 dàfēng	…………	gale
雨 yǔ	…………	rain
冰雹 bīngbáo	…………	hailstorm

用法 3

◀用法解释▶

用于某些行为、动作的过程。

Measure word for the course of certain action.

◀短语示例▶

干了一场
gànle yì cháng

哭了一场
kūle yì cháng

闹了 一 场　　病了 一 场
nàole yì cháng　　bìngle yì cháng

场　　**chǎng**

兼职量词 Double-function measure word

☺作名量词也作动量词。

Measure word for either nouns or verbs.

用法 1

◀用法解释▶

用于考试类的活动次数。

Measure word for the frequency of certain activities such as examinations.

◀搭配示例▶

一场——

考试 kǎoshì	…………	examination
面试 miànshì	…………	interview
较量 jiàoliàng	…………	contest

用法 2

◀用法解释▶

用于娱乐活动的次数。

Measure word for recreational activities.

◀搭配示例▶

一场——

球赛
qiúsài

电影
diànyǐng

其他搭配示例:

比赛 bǐsài   ········· match, contest

音乐会 yīnyuèhuì ········· concert

◀短语示例▶

比了 一 场
bǐle yì chǎng

打了 两 场 （球）
dǎle liǎng chǎng (qiú)

演了 三 场 （戏、电影）
yǎnle sān chǎng (xì、diànyǐng)

上 半 场 比赛
shàng bàn chǎng bǐsài

下 半 场 比赛
xià bàn chǎng bǐsài

 chéng

动量词 Measure word for verbs

◀**用法解释**▶

用于行动的路程。

Measure word for the distance of an action.

◀短语示例▶

跑了一程
pǎole yì chéng

开车 开了一程
kāi chē kāile yì chéng

其他短语示例:

送了 一 程
sòngle yì chéng

走了一程
zǒule yì chéng

 说明:

这里限用数词"一"。

Here "程" can be preceded only by the numeral "一".

重 **chóng** layer

部分量词 Partial measure word

◀用法解释▶

用于重叠事物的量。

Partial measure word for the overlapping things.

◀搭配示例▶

一重——

山
shān

其他搭配示例：

景色 jǐngsè .... lookout, scene

◀语境示例▶

红军 翻过了 一 重 重 的 山 。
Hóngjūn fānguòle yì chóng chóng de shān .

人们 穿过 一 重 重 的 树林 。
Rénmen chuāngguo yì chóng chóng de shùlín .

☺ 说明：

常重叠使用。

"重" can often be repeated.

chū

专职量词 Proper measure word

◀用法解释▶

用于演出、戏剧等。不用于电影、电视,说一场电影,一部电视剧。

Measure word for performances, dramas, etc. instead of films and TV series, for which "场" and "部" are used, respectively.

◀搭配示例▶

一出——

皮影戏
píyǐngxì

京剧
jīngjù

其他搭配示例:

猴戏 hóuxì	....	monkey show
悲剧 bēijù	....	tragedy
喜剧 xǐjù	....	comedy

处 chù

个体量词 Individual measure word

用法 1

◀用法解释▶

用于景色、处所。

Measure word for a particular landscape or location.

◀搭配示例▶

一处

寺院
sìyuàn

园林
yuánlín

44

其他搭配示例：

别墅 biéshù ············· villa

房产 fángchǎn ············· estate

旅游胜地 lǚyóu shèngdì

············· famous scenic spot

用法 2

◀用法解释▶

用于计量事物的一部分。

Measure word for a part of something.

◀语境示例▶

文章 有 好几 处 错误 。
Wénzhāng yǒu hǎojǐ chù cuòwu .

文章 有 好几 处 漏洞 。
Wénzhāng yǒu hǎojǐ chù lòudòng .

大门 上 有 两 处 的 油漆 已经
Dàmén shang yǒu liǎng chù de yóuqī yǐjing

脱落 。
tuōluò.

用法 3

◀用法解释▶

用于计量人体上的一部分（多指伤痕）。

Measure word for a part of human body.

◀语境示例▶

他 身上 有 三 处 伤 。
Tā shēnshang yǒu sān chù shāng.

那 个 伤员 身上 有 两
Nà ge shāngyuán shēnshang yǒu liǎng

处 中 弹 。
chù zhòng dàn .

战士 头上 有 两 处 疤痕。
Zhànshì tóushang yǒu liǎng chù bāhén.

 chuàn

集合量词 Collective measure word

用法 1

◀用法解释▶

用于计量连贯成串的东西。

Collective measure word for something of the same kind or attached closely together.

◀搭配示例▶

一串——

| 钥匙
yàoshi | 糖葫芦
tánghúlu | 羊肉串
yángròuchuàn |

▌用法 2

◀用法解释▶

用于连续的抽象事物。

Collective measure word for a series of abstract things.

◀短语示例▶

闪出　一　串　火光
shǎnchū yí chuàn huǒguāng

传来　一　串　铃声
chuánlái yí chuàn língshēng

碰了　一　串　钉子（挫折）
pèngle yí chuàn dīngzi（cuòzhé）

 chuáng

个体量词 Individual measure word

◀用法解释▶

用于被、褥、单子等。

Individual measure word for a quilt, padded mattress, sheet, etc.

◀搭配示例▶

一床——

棉被
miánbèi

其他搭配示例：

褥子 rùzi　…………　（cotton, kapok, etc.）
padded mattress

 cì　time

动量词 Measure word for verbs

用法 1

◀**用法解释**▶

用来表示在一定时期内某事物重复的
次数。

Measure word for the number of repetitions in a given period of time.

◀**搭配示例**▶

一次——

讨论 tǎolùn　　………　discussion

旅游 lǚyóu　　………　tour

运动会 yùndònghuì　………　sports meet

事故 shìgù	....	accident
地震 dìzhèn	....	earthquake

用法 2

◀用法解释▶

用来表示行为、动作重复的次数。

Measure word for the number of times an action is taken.

◀短语示例▶

去了 一 次 西安
qùle yí cì Xī'ān

回了 两 次 家
huíle liǎng cì jiā

打了 两 次 高尔夫球
dǎle liǎng cì gāo'ěrfūqiú

听了 三 次 歌剧
tīngle sān cì gējù

看了 几 次 冰灯
kànle jǐ cì bīngdēng

cù clump

<u>集合量词</u> Collective measure word

用法 1

◀用法解释▶

用于聚集的花草、灌木。

Clump：collective measure word for a cluster of flowers or bushes occurring closely together.

◀搭配示例▶

一簇——

灌木
guànmù

芦苇
lúwěi

其他搭配示例:

竹子 zhúzi	············	bamboo
野草 yěcǎo	············	weed
玫瑰花 méiguihuā	············	rose

用法 2

◀用法解释▶

用于聚集在一起成堆成团的东西。

Collective measure word for a cluster of things gathered closely together.

◀搭配示例▶

一簇——

羊毛 yángmáo	············	fell, wool
毛发 máofà	············	hair

 cuō pinch

部分量词 Partial measure word

▉用法 1

◀用法解释▶

计量用手捏取的东西,表示少量。

Partial measure word for the small amount which can be taken up with the hands.

◀搭配示例▶

一撮——

盐 yán	·········	salt
面粉 miànfěn	·········	flour
辣椒面 làjiāomiàn	·········	chilli powder
糖 táng	·········	sugar
泥沙 níshā	·········	mud and sand

▉用法 2

◀用法解释▶

用于计量人,有贬义色彩。

Partial measure word for people in a derogatory sense.

◀搭配示例▶

一小撮——

坏蛋 huàidàn	·········	scoundrel, bastard
劫机分子 jiéjī fènzǐ	·········	hijacker
走私犯 zǒusīfàn	·········	contrabandist
叛乱分子 pànluàn fènzǐ	·········	insurgent

D

 dá(r) pad

集合量词 Collective measure word

◀**用法解释**▶
用于摞在一起的很薄的东西。
Collective measure word for sheets lying
one upon another.

◀**搭配示例**▶
一沓——

钞票
chāopiào

信
xìn

其他搭配示例：

明信片 míngxìnpiàn ············ postcard

 dài(r) bag; sack

容器量词 Container measure word

用法 1

◀**用法解释**▶

用于计量袋装的东西。

Container measure word for things in a bag.

◀**搭配示例**▶

一袋(儿)——

奶粉　　　　　　　土豆片
nǎifěn　　　　　　tǔdòupiàn

其他搭配示例：

饼干	bǐnggān	…………	biscuit
瓜子儿	guāzǐr	…………	melon seeds
糖果	tángguǒ	…………	sweet

用法 2

◀用法解释▶

计量用大袋装的东西。

Container measure word for things in a sack.

◀搭配示例▶

一袋

| 棉花 | miánhua | ……… | cotton |
| 粮食 | liángshi | ……… | grain |

水泥 shuǐní	....	cement
小石子 xiǎoshízǐ	....	pebble stone
米 mǐ	....	rice
面 miàn	....	flour

 dào line; course

个体量词 Individual measure word

用法 1

◀ 用法解释 ▶

用于栅栏、门或墙等。

Individual measure word for fences, doors, walls, etc.

◀ 搭配示例 ▶

一道——

栅栏 zhàlan	....	fence
砖墙 zhuān qiáng	....	brick wall
门 mén	....	door
护栏 hùlán	....	barrier

■用法 2

◀用法解释▶

用于类似长条状的事物。

Individual measure word for strip-shaped things.

◀搭配示例▶

一道——

| 光 | 裂缝 |
| guāng | lièfèng |

其他搭配示例:

伤痕 shānghén ·············· bruise; scar

◀短语示例▶

| 两 道 眉毛 | 几 道 皱纹 |
| liǎng dào méimao | jǐ dào zhòuwén |

用法 3

◀用法解释▶

用于风景。

Individual measure word for landscape.

◀搭配示例▶

一道——

风景
fēngjǐng

用法 4

◀用法解释▶

用于菜。

Individual measure word for a course of a meal.

◀搭配示例▶

一道——

菜 cài　　············　　course

■用法 5

◀用法解释▶

用于命令、工序、问题等。

Individual measure word for orders, pro-
cedures, questions, etc.

◀语境示例▶

将军　下了一　道　命令。
Jiāngjūn xiàle yí dào mìnglìng.

老师　出了几　道　数学题。
Lǎoshī chūle jǐ dào shùxuétí.

学生　　办理了好几　道　手续。
Xuésheng bànlǐle hǎojǐ dào shǒuxù.

制作一　套　家具 需要 好几 道　工序。
Zhìzuò yí tào jiājù xūyào hǎojǐ dào gōngxù.

 dī drop

部分量词 Partial measure word

◀用法解释▶

用于液体下滴的量。

Partial measure word for a small round or pear-shaped blob of liquid, usually falling.

◀搭配示例▶

一滴——

汗
hàn

其他搭配示例:

水 shuǐ	…………	water
墨水儿 mòshuǐr	…………	ink
雨水 yǔshuǐ	…………	rain
油 yóu	…………	oil
血 xiě	…………	blood

diǎn(r)　little

不定量量词 Indefinite measure word

用法 1

◀用法解释▶

表示少量。

Partial measure word for a small quantity of things.

◀语境示例▶

书包　里有一点儿　东西。
Shūbāo li yǒu yì diǎnr dōngxi.

碗　里有一点儿　饭。
Wǎn li yǒu yì diǎnr fàn.

天上　　有一点儿　云彩。
Tiānshang yǒu yì diǎnr yúncai.

☺ 说明：

这里限用数词"一"。

Here "点" is used with the numeral "一"。

用法 2

◀用法解释▶

用于建议、说明等。

Partial measure word for suggestion, explanation, etc.

◀短语示例▶

一 点 意 见　　　　几 点 建议
yì diǎn yìjian　　　　jǐ diǎn jiànyì

两 点 说 明
liǎng diǎn shuōmíng

 dié dish

<u>容器量词</u> Container measure word

◀用法解释▶

用于计量用碟盛的东西。

Container measure word for the quantity of something in a dish.

◀搭配示例▶

一碟——

土豆泥 tǔdòuní	········· potato mash
小菜 xiǎocài	········· dish
花生豆 huāshēngdòu	········· peanut
点心 diǎnxin	········· dim sum
巧克力糖 qiǎokèlì táng	········· chocolate

顶 dǐng

个体量词 Individual measure word

◀用法解释▶

计量有顶的物件。

Individual measure word for things that have a cap, cover, etc.

◀搭配示例▶

一顶——

帽子
màozi

轿子
jiàozi

其他搭配示例:

帐篷 zhàngpeng ·············· tent

 dòng

<u>个体量词</u> Individual measure word

◀**用法解释**▶
用于建筑物。
Individual measure word for buildings.

◀**搭配示例**▶
一栋——

楼 lóu

别墅 biéshù

其他搭配示例：

房子 fángzi ………… house

堵 **dǔ**

个体量词 Individual measure word

◀用法解释▶

用于篱笆、墙等。

Individual measure word for fences, walls, etc.

◀搭配示例▶

一堵——

墙 qiáng ………… wall

肚子 **dùzi** belly；abdomen

临时量词 Temporary measure word

用法 1

◀用法解释▶

用于计量肚子装的量。

Measure word for the quantity that a belly or abdomen can hold.

◀语境示例▶

他 喝了 一 肚子 汤。
Tā hēle yí dùzi tāng.

他 灌了 一 肚子 水。
Tā guànle yí dùzi shuǐ.

☺ 说明：

这里限用数词"一"。

Here "肚子" can be preceded only by the numeral "一".

用法 2

◀ 用法解释 ▶

用于抽象名词。

Temporary measure word for abstract nouns.

◀ 语境示例 ▶

他 满 肚子 不 高兴。
Tā mǎn dùzi bù gāoxìng.

妈妈 生了 一 肚子 气。
Māma shēngle yí dùzi qì.

教授 满 肚子 学问。
Jiàoshòu mǎn dùzi xuéwen.

这 个 家伙 有 一 肚子 坏 主意。
Zhè ge jiāhuo yǒu yí dùzi huài zhǔyi.

孩子 受了 一 肚子 委屈。
Háizi shòule yí dùzi wěiqu.

☺ 说明：

这里限用数词"一"或"满"。

Here "肚子" can be preceded only by the numeral "一" or "满".

 duàn　section；length

<u>部分量词 Partial measure word</u>

用法 1
◀用法解释▶
用于整个事物中的一部分。
Measure word for a part of something.

◀搭配示例▶
一段——
文章 wénzhāng	………	article
音乐 yīnyuè	………	music
英雄事迹 yīngxióng shìjì	………	heroic deed
话 huà	………	talk

用法 2
◀用法解释▶
用于长状物截断的部分。

Measure word for a part cut from something long and narrow.

◀搭配示例▶

一段——

绳子 shéngzi	············	cord，rope
竹管 zhúguǎn	············	bamboo pipe
丝线 sīxiàn	············	silk thread
葱 cōng	············	onion

用法 3

◀用法解释▶

用于计量时间或空间的量。

Measure word for a length of time or some distance.

◀搭配示例▶

一段——

路 lù	············	road
距离 jùlí	············	distance
经历 jīnglì	············	experience
时间 shíjiān	············	time

堆 duī heap；pile；crowd

集合量词 Collective measure word

用法 1

◀用法解释▶

用于聚集的人。

Collective measure word for a large number of people gathering together.

◀搭配示例▶

一堆——

人 rén	....	human，people
难民 nànmín	....	refugee
伤兵 shāngbīng	....	wounded soldier

用法 2

◀用法解释▶

用于堆集的物。

Collective measure word for a mass of things in piles.

◀搭配示例▶

一堆——

沙子
shāzi

豆子
dòuzi

其他搭配示例：

垃圾 lājī	············	rubbish
木头 mùtou	············	wood
树叶 shùyè	············	leaf
报纸 bàozhǐ	············	newspaper
瓶子 píngzi	············	bottle

 队　**duì**

<u>集合量词</u> Collective measure word

■用法 1

◀用法解释▶

用于成行列的人。

Collective measure word for peolpe in or-derly ranks.

◀搭配示例▶

一队——

士兵
shìbīng

其他搭配示例：

人马 rénmǎ	…………	forces
小学生 xiǎoxuéshēng	…………	pupil

用法 2

◀用法解释▶

用于成行列的飞禽。

Collective measure word for fowls in or-derly ranks.

◀搭配示例▶

一队——

大雁
dàyàn

 dùi pair

定量量词 Definite measure word

■**用法 1**

◀**用法解释**▶

用于成对的人。

Definite measure word for two persons as a couple or closely associated pair.

◀搭配示例▶

一对——

夫妻
fūqī

冤家
yuānjia

其他搭配示例:

伙伴 huǒbàn .... fellow

用法 2

◀用法解释▶

用于成对东西。

Measure word for two things associated
or used together.

◀搭配示例▶

一对——

花瓶 huāpíng .... vase

耳环 ěrhuán .... earring

镯子 zhuózi .... bracelet

枕头 zhěntou .... pillow

水桶 shuǐtǒng .... barrel

用法 3

◀用法解释▶

用于成对的动物、禽类。

Definite measure word for two animals or birds of opposite sex.

◀搭配示例▶

一对——

鸳鸯
yuānyang

燕子
yànzi

猴子
hóuzi

其他搭配示例：

老虎 lǎohǔ	············	tiger
小兔子 xiǎotùzi	············	rabbit
熊猫 xióngmāo	············	panda

顿 dùn

兼职量词 Double-function measure word

☺ 作名量词也作动量词。

Measure word for both nouns and verbs.

用法 1

◀**用法解释**▶

用于吃饭。

Individual measure word for regular meals.

◀**搭配示例**▶

一顿——

饭 fàn ·········· meal

小吃 xiǎochī	·········	snack
西餐 xīcān	·········	Western-style food
饺子 jiǎozi	·········	dumpling
捞面 lāomiàn	·········	noodle

■用法 2

◀用法解释▶

用于批评、申斥。

Measure word for reprimanding or criticizing.

◀搭配示例▶

一顿——

批评 pīping	·········	comment, criticism
臭骂 chòu mà	·········	scold angrily
打 dǎ	·········	hit, beat

■用法 3

◀用法解释▶

用于批评、申斥的行为。

Measure word to express abuses, reprimands, or criticising.

作动量词。

Measure word for verbs.

◀短语示例▶

打 一 顿
dǎ yí dùn

骂 一 顿
mà yí dùn

吵了 一 顿
chǎole yí dùn

 duǒ

个体量词 Individual measure word

用法 1

◀用法解释▶

用于花。

Individual measure word for flowers.

◀搭配示例▶

一朵——

玫瑰花
méiguihuā

其他搭配示例:

葵花 kuíhuā	…………	sunflower
野花 yěhuā	…………	wild flower
莲花 liánhuā	…………	lotus flower

用法 2

◀用法解释▶

用于云。

Individual measure word for cloud.

◀搭配示例▶

一朵——

白云
báiyún

F

发 fā

专职量词 Proper measure word

◀用法解释▶

用于子弹、弹壳。

Measure word for bullets, shells, etc.

◀搭配示例▶

一发——

子弹
zǐdàn

其他搭配示例：

子弹壳 zǐdànké ········· bullet shell

炮弹 pàodàn ········· cannonball

 fān

兼职量词 Plural measure word

☺ 作名量词也作动量词。

Measure word for both nouns and verbs.

▌用法 1

◀ 用法解释 ▶

用于行为、动作的过程。

Measure word for the process of certain actions.

◀短语示例▶

研究 一 番
yánjiū yì fān

打扮 一 番
dǎban yì fān

检查 一 番
jiǎnchá yì fān

美化 一 番
měihuà yì fān

思考 一 番
sīkǎo yì fān

用法 2

◀用法解释▶

用于事物的过程及花费的精力。

Individual measure word for the course of any action which takes time and energy.

◀短语示例▶

几 番 周折
jǐ fān zhōuzhé

一 番 功夫
yì fān gōngfu

一 番 努力
yì fān nǔlì

费 一 番 口舌
fèi yì fān kǒushé

☺ 说明：

这里的"番"限用数词"一"。

Here "番" is preceded only by the numeral "一".

用法 3

◀用法解释▶

用于心意、感觉。

Measure word for kindness, flavour, etc.

◀搭配示例▶

一番————

心意 xīnyì	·············	idea
滋味 zīwèi	·············	flavor
好意 hǎoyì	·············	favor
心血 xīnxuè	·············	painstaking effort

☺ 说明：

这里的"番"限用数词"一"。

Here "番" is preceded only by the numeral "一".

量词一点通

 fēn

部分量词 Partial measure word

◀**用法解释**▶

表示十分之一的量。

Partial measure word for one-tenth of the whole.

◀**语境示例**▶

小　王　学　汉语　是　三　分　热度。
Xiǎo Wáng xué Hànyǔ shì sān fēn rè dù.

他　七　分　像　女人，三　分　像
Tā qī fēn xiàng nǚrén, sān fēn xiàng

男人。
nánrén.

他　有　了　几　分　成绩　就　骄傲　起来。
Tā yǒule jǐ fēn chéngjì jiù jiāo'ào qilai.

 fèn   share

部分量词 Partial measure word

■用法 1

◀用法解释▶

用于整体分成的一部分。

Partial measure word for part of the whole.

◀搭配示例▶

一份———

家业 jiāyè	....	property
股份 gǔfèn	....	stock
钱财 qiáncái	....	wealth
工作 gōngzuò	....	job

◀短语示例▶

一 份 人情　　一 份 势力
yí fèn rénqíng　　yí fèn shìlì

一 份 功劳
yí fèn gōngláo

☺ 说明:

"份"和抽象名词搭配时限用数词"一"。

Here "份" is usually preceded by the numeral "一" and is sometimes followed by abstract nouns.

■用法 2

◀用法解释▶

用于搭配成组的食品。

Measure word for a set of food.

◀搭配示例▶

一份

快餐
kuàicān

鱼
yú

其他搭配示例：

点心 diǎnxin ·········· pastry

■用法 3

◀用法解释▶

用于文件、报纸等。

Measure word for documents, news-papers, etc.

◀搭配示例▶

一份——

电报 diànbào	…………	telegram
计划 jìhuà	…………	plan
礼物 lǐwù	…………	gift
钱 qián	…………	money

 fēng

专职量词 Proper measure word

◀用法解释▶

用于信、电报等。

Measure word for letters, telegrams, etc.

◀搭配示例▶

一封——

信
xìn

其他搭配示例：

电报 diànbào ...... telegram
家书 jiāshū ...... a letter to or
from home
电子邮件 diànzǐ yóujiàn ...... e-mail

 fú

<u>个体量词</u> Individual measure word

用法 1
◀用法解释▶
用于布、丝等制品。

Individual measure word for cloth, silk, etc.

◀搭配示例▶

一幅——

窗帘
chuānglián

其他搭配示例：

锦缎 jǐnduàn	…………	brocade
被面 bèimiàn	…………	quilt cover

用法 2

◀用法解释▶

用于书画等。

Individual measure word for calligraphy, painting, etc.

◀搭配示例▶

一幅——

画像
huàxiàng

其他搭配示例:

书法 shūfǎ ········· calligraphy

国画 guóhuà ········· traditional Chinese
painting

剪影 jiǎnyǐng ········· paper-cut silhouette

图案 tú'àn ········· design

■用法 3

◀用法解释▶

用于场景。

Individual measure word for a scene in drama, fiction, etc.

◀短语示例▶

欢乐 的 场面
huānlè de chǎngmiàn

繁忙 的 景象
fánmáng de jǐngxiàng

动人 的 情景
dòngrén de qíngjǐng

奇丽 的 景色
qílì de jǐngsè

☺ 说明:

"幅"在这里限用数词"一"。

Here "幅" is preceded only by the numeral "一".

服 fú

专职量词 Proper measure word

◀用法解释▶

用于中药。

Measure word for the amount of traditional Chinese medicine to be taken at one time, similar to "副".

◀搭配示例▶

一服——

汤药
tāngyào

中药
zhōngyào

其他搭配示例:

草药 cǎoyào ········· traditional Chinese herbal medicine

副 fù   set; pair

<u>**定量量词**</u> Definite measure word

■用法 1

◀用法解释▶

用于成对的物品。

Measure word for two things seen together or associated.

◀搭配示例▶

一副——

眼镜
yǎnjìng

担架
dānjià

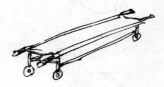

其他搭配示例：

手套 shǒutào	…………	glove
球拍 qiúpāi	…………	bat

用法 2

◀用法解释▶

用于表情。

Measure word for facial expressions.

◀搭配示例▶

一副——

笑脸
xiàoliǎn

哭相
kūxiàng

凶相
xiōngxiàng

用法 3

◀用法解释▶

用于中药。

Measure word for traditional Chinese medicine.

◀搭配示例▶

一副——

中药 zhōngyào ········· traditional Chinese
medicine

草药 cǎoyào ········· herbal medicine

G

 gè

__个体量词__　Individual measure word

用法 1

◀用法解释▶

用于人。

Individual measure word for persons.

◀搭配示例▶

一个——

服务员
fúwùyuán

歌手
gēshǒu

其他搭配示例：

外国留学生 wàiguó liúxuéshēng

········· foreign student

士兵 shìbīng ········· soldier

女孩儿 nǚháir ········· girl

船长 chuánzhǎng ········· captain

飞行员 fēixíngyuán ········· airman

用法 2

◀用法解释▶

用于区域或者单位。

Individual measure word for areas, units, etc.

◀搭配示例▶

一个——

城市
chéngshì

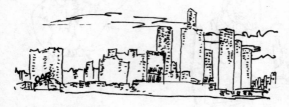

其他搭配示例：

国家 guójiā	………	country
旅游胜地 lǚyóu shèngdì	………	scenic spot
学校 xuéxiào	………	school
公司 gōngsī	………	company
教堂 jiàotáng	………	church

用法 3

◀用法解释▶

用于物。

Individual measure word for material things.

◀搭配示例▶

一个——

苹果 píngguǒ	....	apple
花瓶 huāpíng	....	vase
小盒 xiǎo hé	....	small box
大盆 dà pén	....	big basin
螺丝 luósī	....	screw
玩具 wánjù	....	toy

用法 4

◀用法解释▶

用于动作的对象。

Individual measure word for the object of some action, usually used between verb and its object.

◀语境示例▶

小 李 打了 一 个 哈欠。
Xiǎo Lǐ dǎle yí ge hāqian.

婴儿 翻了 一 个 身。
Yīng'ér fānle yí ge shēn.

这 个 孩子 摔了 一 个 跤。
Zhè ge háizi shuāile yí ge jiāo.

他　向　妹妹　使了　一个　眼色。
Tā xiàng mèimei shǐle yí ge yǎnsè.

哥哥　摆出了　一个　打架的　姿势。
Gēge bǎichūle yí ge dǎ jià de zīshi.

用法 5

◀用法解释▶

用于表示日期、时间。

Individual measure word for date, time, etc.

◀搭配示例▶

一个——

春天 chūntiān	…………	spring
季节 jìjié	…………	season
月 yuè	…………	month
星期 xīngqī	…………	week
下午 xiàwǔ	…………	afternoon
钟头 zhōngtóu	…………	hour

■用法 6

◀用法解释▶
用于抽象名词。

Individual measure for some abstract nouns.

◀搭配示例▶
一个——

理想 lǐxiǎng	…………	ideal
问题 wèntí	…………	question
好办法 hǎo bànfǎ	…………	good idea

 gēn

个体量词 Individual measure word

■用法 1

◀用法解释▶
用于长状的东西。

Individual measure word for long things.

◀搭配示例▶

一根——

蜡烛
làzhú

火柴
huǒchái

拐杖
guǎizhàng

其他搭配示例：

筷子 kuàizi	…………	chopsticks
木头 mùtou	…………	wood
钢管 gāngguǎn	…………	steel pipe
铁轨 tiěguǐ	…………	rail
柱子 zhùzi	…………	pillar

用法 2

◀用法解释▶

用于细软的东西。

Individual measure word for soft and slender things.

◀搭配示例▶

一根——

铁丝 tiěsī	…………	iron wire
绳子 shézi	…………	rope
电线 diànxiàn	…………	wire
丝带 sīdài	…………	ribbon

用法 3

◀用法解释▶

用于长的植物。

Individual measure word for slender plants.

◀搭配示例▶

一根——

大葱 dàcōng	…………	onion
树枝 shùzhī	…………	branch
豆芽 dòuyá	…………	bean sprouts

用法 4

◀用法解释▶

用于人体细长的部位。

Individual measure word for slender parts of the human body.

◀搭配示例▶

一根——

骨头 gǔtou	·········	bone
胡须 húxū	·········	beard
头发 tóufa	·········	hair
眉毛 méimao	·········	brow
汗毛 hànmáo	·········	fine hair on the human body

  gǔ   skein; stream; band

部分量词 Partial measure word

用法 1

◀用法解释▶

用于人。

Measure word for a group of people.

◀搭配示例▶

一股——

人流 rénliú ············ stream of people

用法 2

◀用法解释▶

用于条状的东西。

Partial measure word for long and narrow things.

◀搭配示例▶

一股——

线
xiàn

用法 3

◀用法解释▶

用于水流。

Stream: partial measure word for water.

◀搭配示例▶

一股——

泉水 quánshuǐ …… spring water; spring

小溪 xiǎoxī   …… brook

水流 shuǐliú …… a stream of water

用法 4

◀用法解释▶

用于气流。

Partial measure word for air current.

◀搭配示例▶

一股——

寒流 hánliú   ………… cold current

暖流 nuǎnliú   ………… warm current

气流 qìliú   ………… air current

凉风 liángfēng ………… cold wind

用法 5

◀用法解释▶

用于气味。

Partial measure word for a breath or air.

◀搭配示例▶

一股——

香味儿 xiāng wèir	…… fragrant smell
烟味儿 yān wèir	…… smoky smell
臭味儿 chòu wèir	…… foul smell
汽油味儿 qìyóu wèir	…… gasoline smell
水果味儿 shuǐguǒ wèir	…… fruit smell

用法 6

◀用法解释▶

和抽象名词搭配。

Partial measure word for some abstract nouns.

◀搭配示例▶

一股——

潮流 cháoliú	…… tide
浪潮 làngcháo	…… tidal wave
出国风 chūguófēng	…… tide of going abroad
吃喝风 chīhēfēng	…… unhealthy practice of feasting on public money

guà　　string

集合量词 Collective measure word

◀用法解释▶

用于成串的东西。

Collective measure word for series of things threaded on a string.

◀搭配示例▶

一挂——

鞭炮
biānpào

竹帘
zhúlián

其他搭配示例：

彩灯 cǎidēng	·············	color lamp
珠子 zhūzi	·············	bead

H

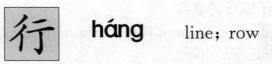
háng   line; row

集合量词 Collective measure word

用法 1

◀用法解释▶

用于成行的人。

Collective measure word for a number of persons in a line.

◀语境示例▶

妇女　排成　两　行。
Fùnǚ páichéng liǎng háng.

门　前　排着　一　行　战士，
Mén qián páizhe yì háng zhànshì,

一　行　学生。
yì háng xuésheng.

一　行　人马　过了　桥。
Yì háng rénmǎ guòle qiáo.

用法 2

◀用法解释▶

用于成行的事物。

Collective measure word for a number of things in a line.

◀短语示例▶

两　行　眼泪　　　一　行　小　星星
liǎng háng yǎnlèi　　yì háng xiǎo xīngxing

几　行　诗句
jǐ háng shī jù

用法 3

◀用法解释▶

用于成行的植物。

Collective measure word for plants in a line.

◀搭配示例▶

一行——

小树苗 xiǎo shùmiáo ·············· seedling

大树 dà shù ·············· tree

杨柳 yángliǔ ·············· willow

 hé box

容器量词 Container measure word

◀用法解释▶

用于装进盒子里的东西。

Container measure word for things in a box.

◀搭配示例▶

一盒——

火柴
huǒchái

烟
yān

其他搭配示例:

积木 jīmù	…………	building blocks
圆珠笔 yuánzhūbǐ	…………	ball pen
饼干 bǐnggān	…………	biscuit
药 yào	…………	drug

 hú pot, kettle

<u>**容器量词**</u> Container measure word

◀**用法解释**▶

用于计量液体的量。

Container measure word for the amount of liquid.

◀搭配示例▶

一壶——

茶
chá

其他搭配示例：

酒 jiǔ	············	wine
油 yóu	············	oil
水 shuǐ	············	water

hù household

集合量词 Collective measure word

◀用法解释▶

用于一家人。

Collective measure word for a household.

量词一点通

◀**搭配示例**▶

一户——

　　人家
　　rénjiā

其他搭配示例：

| 渔民 yúmín | ‥‥‥‥‥‥ | fisherman |
| 猎人 lièrén | ‥‥‥‥‥‥ | hunter |

 huí

动量词 Measure word for verbs

◀**用法解释**▶

用于计量动作的次数。

Measure word for the times of an action.

◀语境示例▶

他 去了 一 回 游戏厅。
Tā qùle yì huí yóuxìtīng.

爸爸 来 中国 看了 他 两 回。
Bàba lái Zhōngguó kànle tā liǎng huí.

姐姐 试了 好几 回 衣服。
Jiějie shìle hǎojǐ huí yīfu.

 huǒ crowd

集合量词 Collective measure word

◀用法解释▶

用于聚集的人。

Collective measure word for a group of persons who associate for some purpose.

◀搭配示例▶
一伙——

小家伙
xiǎojiāhuo

其他搭配示例：

贩毒分子 fàndú fènzǐ

.... drug trafficker

流氓 liúmáng .... gangster

贼 zéi .... thief

坏人 huàirén .... bad person

☺ **说明：**

多用于贬义。

It has a derogatory sense when used for people.

J

级   **jí**   step; grade; level

个体量词 Individual measure word

■用法 1

◀用法解释▶

用于计量台阶。

Step: individual measure word for stairs or steps.

◀语境示例▶

这 座 塔 的 台 子 有 20 级 台阶。
Zhè zuò tǎ de táizi yǒu èrshí jí táijiē.

这　层　楼　的　楼梯　有　18　级　台阶。
Zhè céng lóu de lóutī yǒu shíbā jí táijiē.

用法 2

◀用法解释▶

用于计量物品的等级。

Grade：individual measure word for the quality of goods.

◀搭配示例▶

一级——

香水 xiāngshuǐ	………	perfume
茶叶 cháyè	………	tea
酒 jiǔ	………	wine
蚕丝 cánsī	………	silk
丝绵 sīmián	………	silk floss

用法 3

◀用法解释▶

用于计量人或单位的等级。

Level：individual measure word for the level or position of people or units.

◀语境示例▶

老　王　是一级　厨师。
Lǎo Wáng shì yī jí chúshī.

这　个　女孩　是　二级　调酒师。
Zhè ge nǚháir shì èr jí tiáojiǔshī.

这　个　妇女是　医院　的　特级　护理员。
Zhè ge fùnǚ shì yīyuàn de tèjí hùlǐyuán.

他　连　升了　三级　官。
Tā lián shēngle sān jí guān.

用法 4

◀用法解释▶

用于计量自然灾害和风力。

Grade: individual measure word for natural disasters.

◀语境示例▶

日本　发生了　6 级　地震。
Rìběn fāshēngle liù jí dìzhèn.

海上　　刮起了 7 级　大风。
Hǎishang guāqǐle qī jí dàfēng.

█用法 5

◀用法解释▶

用于计量饭店的等级。

Level, grade: individual measure word for hotels.

◀语境示例▶

这 是 5 星 级 大 饭店。
Zhè shì wǔ xīng jí dà fàndiàn.

那 是 3 星 级 旅馆。
Nà shì sān xīng jí lǚguǎn.

█用法 6

◀用法解释▶

用于表示服务水平。

Level, grade: individual measure word for the level of service.

◀语境示例▶

他 享受 一 级 的 服务。
Tā xiǎngshòu yī jí de fúwù.

他 享受 部长 级 待遇。
Tā xiǎngshòu bùzhǎng jí dàiyù.

jiā household

集合量词 Collective measure word

用法 1

◀用法解释▶

用于计量家庭。

Collective measure word for a family.

◀短语示例▶

一 家 人
yì jiā rén

其他短语示例:

几 家 乡 亲	两 家 亲 戚
jǐ jiā xiāngqin	liǎng jiā qīnqi

用法 2

◀用法解释▶

表个体量:用于计量企业、单位等。

Individual measure word for an institution, enterprise, unit, etc.

◀搭配示例▶

一家——

钟表店 zhōngbiǎodiàn
.... watchmaker's shop

大剧院 dàjùyuàn .... theatre

银行 yínháng .... bank

报社 bàoshè .... newspaper office

养老院 yǎnglǎoyuàn
.... home for the old

工厂 gōngchǎng .... factory

公司 gōngsī .... company

 架 jià

个体量词 Individual measure word

■用法 1

◀用法解释▶

用于有支架物品及大型机械等。

Individual measure word for big machines or the things with wooden or metal framework.

◀搭配示例▶

一架——

飞机
fēijī

钢琴
gāngqín

马车
mǎchē

其他搭配示例：

| 大炮 dàpào | ………… | cannon |
| 起重机 qǐzhòngjī | ………… | crane |

■用法 2

◀用法解释▶

用于有支架、小型的东西。

Individual measure word for the small things with wooden or metal supports.

◀搭配示例▶

一架——

望远镜
wàngyuǎnjìng

缝纫机
féngrènjī

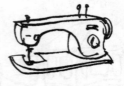

其他搭配示例：

| 显微镜 xiǎnwēijìng | ……… | microscope |
| 照相机 zhàoxiàngjī | ……… | camera |

间 jiān

容器量词 Container measure word

◀ **用法解释** ▶

用于计量房屋或其他建筑物。

Container measure word for houses or other buildings.

◀ **搭配示例** ▶

一间——

房
fáng

其他搭配示例:

育婴室 yùyīngshì	....	baby's room
卧室 wòshì	....	bedroom
病房 bìngfáng	....	ward
厨房 chúfáng	....	kitchen
休息室 xiūxishì	....	lounge

洗手间 xǐshǒujiān	············	washroom
阅览室 yuèlǎnshì	············	reading room
游戏厅 yóuxìtīng	············	game parlor

件 jiàn

个体量词 Individual measure word

用法 1

◀用法解释▶

用于计量衣物。

Individual measure word for clothes, etc.

◀搭配示例▶

一件——

| 夹(茄)克衫 | 大衣 | 毛衣 |
| jiākèshān | dàyī | máoyī |

其他搭配示例：

背心 bèixīn	············	vest
和服 héfú	············	kimono
雨衣 yǔyī	············	raincoat
羽绒服 yǔróngfú	············	down-padded anorak
衬衫 chènshān	············	shirt

用法 2

◀用法解释▶

用于计量家具、首饰等物。

Individual measure word for furniture, jewelry, etc.

◀搭配示例▶

一件——

家具 jiājù	········	furniture
设备 shèbèi	········	equipment
宝贝 bǎobèi	········	treasure
珠宝 zhūbǎo	········	jewellery
乐器 yuèqì	········	musical instrument

用法 3

◀用法解释▶

用于计量事件。

Individual measure word for affairs, incidents, etc.

◀搭配示例▶

一件——

杀人案 shārén'àn	....	homicide case
抢劫事件 qiǎngjié shìjiàn	....	robbery
小事 xiǎoshì	....	minor matter
车祸 chēhuò	....	traffic accident

 jié   section

部分量词 Partial measure word

用法 1

◀用法解释▶

用于成段的东西。

Partial measure word for things with joints, or things that are usually joined.

◀搭配示例▶

一节——

电池 diànchí	…………	battery
骨头 gǔtou	…………	bone

用法 2

◀用法解释▶

用于带节的植物。

Partial measure word for plants with joints.

◀搭配示例▶

一节——

藕 ǒu	…………	lotus root
竹子 zhúzi	…………	bamboo
甘蔗 gānzhe	…………	sugar cane

用法 3

◀用法解释▶

用于分节的车。

Partial measure word for vehicles with several sections joined together.

◀搭配示例▶

一节——

车厢 chēxiāng	·········	railway carriage
邮车 yóuchē	·········	mail cart
油罐车 yóuguànchē	·········	fuel tank truck

用法 4

◀用法解释▶

用于文章、诗或课。

Partial measure word for poems, articles or classes.

◀语境示例▶

这 篇 文章 分 6 节。
Zhè piān wénzhāng fēn liù jié.

这 首 诗 有 9 节。
Zhè shǒu shī yǒu jiǔ jié.

这 支 乐曲 有 20 小节。
Zhè zhī yuèqǔ yǒu èrshí xiǎojié.

他 上了 4 节课。
Tā shàngle sì jié kè.

 jié　section

部分量词 Partial measure word

用法 1
◀用法解释▶

用于截断的长而细的东西。

Partial measure word for a cutted part of a long, narrow thing.

◀搭配示例▶

一截——

钢管 gāngguǎn	············	steel pipe
铁丝 tiěsī	············	iron wire
木头 mùtou	············	wood

粉笔 fěnbǐ ············ chalk

用法 2

◀用法解释▶

用于截断的长、细的植物。

Partial measure word for a cutted part of a long, narrow plant.

◀搭配示例▶

一截——

黄瓜 huánggua ············ cucumber
胡萝卜 húluóbo ············ carrot
芹菜 qíncài ············ celery

用法 3

◀用法解释▶

用于说话、走路等。

Partial measure word for talking or walking, etc.

◀语境示例▶

班长 说了 半截 话 就 走了。
Bānzhǎng shuōle bàn jié huà jiù zǒu le.

弟弟 走了 半 截 路 就 累 了。
Dìdi zǒule bàn jié lù jiù lèi le.

会 开了半 截，灯 突然 灭 了。
Huì kāile bàn jié, dēng tūrán miè le.

☺ 说明：

这里的"截"限用数词"半"。

Here "截" is used with the numeral "半".

届 **jiè** session

专职量词 Proper measure word

用法 1

◀用法解释▶

用于运动会、会议等。

Measure word for regular conferences, sports meets, etc.

◀搭配示例▶

一届——

运动会 yùndònghuì

············ sports meet

交易会 jiāoyìhuì

············ trade fair

学术讨论会 xuéshù tǎolùnhuì

············ academic discussion

世界博览会 shìjiè bólǎnhuì

············ international fair

书展 shūzhǎn

············ book show

用法 2

◀用法解释▶

用于同一年级的学生、研究生等。

Measure word for students, graduate students, etc.

◀搭配示例▶

一届——

毕业生
bìyèshēng

其他搭配示例：

学生 xuésheng ...... pupil, student

研究生 yánjiūshēng ...... graduate student

博士生 bóshìshēng ...... doctorate student

 jú   game

专职量词 Proper measure word

◀**用法解释**▶

用于棋类、球类比赛。

Measure word for the competitions of balls, chesses, etc.

◀**语境示例**▶

这　场　排球　打了　两　局。

Zhè chǎng páiqiú dǎle liǎng jú.

其他语境示例:

他 俩 下 了 三 局 围棋。
Tā liǎ xiàle sān jú wéiqí.

比赛 要求 三 局 两 胜。
Bǐsài yāoqiú sān jú liǎng shèng.

小 刘 赢 了 一 局。
Xiǎo Liú yíngle yì jú.

句 jù　sentence; line

<u>**专职量词** Proper measure word</u>

◀**用法解释**▶

用于计量说的话及诗句、歌词等。

Measure word for a sentence, or a line of a poem, song, etc.

◀**搭配示例**▶

一句——

话 huà	·············	sentence
诗 shī	·············	poem
歌词 gēcí	·············	words of a song

◀**短语示例**▶

说　一　句　话
shuō yí jù huà

朗诵　几　句　诗
lǎngsòng jǐ jù shī

批评了　几　句
pīpíngle jǐ jù

吵了　几　句
chǎole jǐ jù

jù

专职量词 Proper measure word

◀**用法解释**▶

用于计量尸体。

Measure word for corpses.

◀**搭配示例**▶

一具——

尸体 shītǐ .... corpse

 juǎn(r) roll

部分量词 Partial measure word

■**用法 1**

◀**用法解释**▶

用于成卷的东西。

Measure word for things in rolls.

◀搭配示例▶

一卷——

设计图 shèjìtú	…………	blue print
试卷 shìjuàn	…………	test paper
麻布 mábù	…………	linen
塑料袋 sùliàodài	…………	plastic bag
皮革 pígé	…………	leather

用法 2

◀用法解释▶

用于计量成卷的小的物品。

Measure word for small articles in rolls.

◀搭配示例▶

一卷(儿)——

胶卷儿 jiāojuǎnr   卫生纸 wèishēngzhǐ

其他搭配示例：

胶布 jiāobù ·············· adhesive plaster

胶带 jiāodài ·············· adhesive tape

 juàn roll

部分量词 Partial measure word

◀**用法解释**▶

用于计量书画等。

Measure word for calligraphy and painting, etc.

◀**搭配示例**▶

一卷——

古诗 gǔshī ·············· ancient poem

兵书 bīngshū ·············· book on the art of war

文选 wénxuǎn ·············· selected works

K

 kē

<u>个体量词 Individual measure word</u>

用法 1

◀用法解释▶

用于计量植物。

Individual measure word for plants.

◀搭配示例▶

一棵——

树
shù

长藤
chángténg

其他搭配示例:

小草 xiǎocǎo	············	grass
向日葵 xiàngrìkuí	············	sunflower
人参 rénshēn	············	ginseng

用法 2

◀用法解释▶

用于计量蔬菜。

Individual measure word for vegetable.

◀搭配示例▶

一棵——

芹菜 qíncài	············	celery
葱 cōng	············	onion

大白菜 dàbáicài ············· Chinese cabbage

胡萝卜 húluóbo ············· carrot

蒜苗 suànmiáo ············· garlic shoot

颗 kē

个体量词 Individual measure word

用法 1

◀用法解释▶

用于计量颗粒状物品。

Individual measure word for small and roundish things.

◀搭配示例▶

一颗——

螺丝钉
luósīdīng

其他搭配示例：

珠子 zhūzi ············· bead

钻石 zuànshí	············	diamond
子弹 zǐdàn	············	bullet

用法 2

◀用法解释▶

用于计量较大的圆状物。

Individual measure word for big and roundish things.

◀搭配示例▶

一颗——

炸弹	zhàdàn	············	bomb
鱼雷	yúléi	············	torpedo
原子弹	yuánzǐdàn	············	atom bomb

用法 3

◀用法解释▶

用于计量谷物。

Individual measure word for grain.

◀搭配示例▶

一颗——

| 谷粒 gǔlì | ………… | millet |
| 麦粒 màilì | ………… | wheat head |

用法 4

◀用法解释▶

用于计量自然颗粒状物。

Individual measure word for small and roundish things in nature.

◀搭配示例▶

一颗——

小石子 xiǎoshízǐ	…………	pebble
沙子 shāzi	…………	sand
星星 xīngxing	…………	star

用法 5

◀用法解释▶

用于表示人心。

Individual measure word for human heart.

◀语境示例▶

老奶奶 有 一 颗 善良 的 心。
Lǎonǎinai yǒu yì kē shànliáng de xīn.

这 个 匪徒 有 一 颗 罪恶 的 心。
Zhè ge fěitú yǒu yì kē zuì'è de xīn.

用法 6

◀用法解释▶

用于计量牙。

Individual measure word for tooth.

◀语境示例▶

老奶奶 一 颗 牙 也 没有 了。
Lǎonǎinai yì kē yá yě méiyǒu le.

孩子 长出 一 颗 牙。
Háizi zhǎngchū yì kē yá.

医生 给 他 拔了 一 颗 牙。
Yīshēng gěi tā bá le yì kē yá.

kǒu

临时量词 Temporary measure word

■用法 1

◀用法解释▶

用于计量人。

Measure word for people.

◀语境示例▶

我 家 有 三 口 人，有 爸爸、妈妈
Wǒ jiā yǒu sān kǒu rén, yǒu bàba、māma

和 我。
hé wǒ.

你 家 有 几 口 人?
Nǐ jiā yǒu jǐ kǒu rén?

■用法 2

◀用法解释▶

用于口含的东西。

Mouthful, measure word for things kept in the mouth.

◀搭配示例▶

一口——

酒 jiǔ	…………	wine
血 xiě	…………	blood

饭 fàn	....	rice
菜 cài	....	dish
水 shuǐ	....	water

用法 3

◀用法解释▶

用于计量刀、剑等。

Individual measure word for swords, knives, etc.

◀搭配示例▶

一口——

| 刀 dāo | .... | knife |
| 宝剑 bǎojiàn | .... | double-edged treasured sword |

用法 4

◀用法解释▶

用于语言。

Individual measure word for languages.

◀搭配示例▶

一口——

上海话 Shànghǎihuà

··········· Shanghai dialect

京腔 jīngqiāng

··········· Beijing accent

标准的汉语 biāozhǔn de Hànyǔ

··········· standard Chinese

乡音 xiāngyīn ··········· local accent

用法 5

◀用法解释▶

用于类似有口的东西。

Individual measure word for things with an opening.

◀搭配示例▶

一口——

棺材 guāncai	···········	coffin
大锅 dà guō	···········	cauldron
井 jǐng	···········	well
水缸 shuǐgāng	···········	water vat

用法 6

◀用法解释▶

用于计量吃喝的动作。

Measure word for the actions of eating and drinking.

◀语境示例▶

小　猫　吃　小　鱼，一　口　吃　一　条。
Xiǎo māo chī xiǎo yú, yì kǒu chī yì tiáo.

老爷爷　尝了　几　口　汤。
Lǎoyéye chángle jǐ kǒu tāng.

奶奶　喝了　两　口　茶。
Nǎinai hēle liǎng kǒu chá.

 块 **kuài** lump

<u>部分量词</u> Partial measure word

用法 1

◀用法解释▶

用于计量食品中的块状部分。

Partial measure word for lumps of food-stuff.

◀搭配示例▶
一块——

西瓜 xīguā	············	watermelon
蛋糕 dàngāo	············	cake
面饼 miànbǐng	············	pancake
肉 ròu	············	meat

用法 2

◀用法解释▶
用于计量块状物。
Individual measure word for a solid substance with a regular shape.

◀搭配示例▶
一块——

石头 shítou	············	stone
木头 mùtou	············	wood
煤 méi	············	coal
稻田 dàotián	············	paddyfield

用法 3

◀用法解释▶

用于计量块状制品。

Individual measure word for regular-shaped products.

◀搭配示例▶

一块——

表
biǎo

砚台
yàntai

其他搭配示例：

手帕 shǒupà	·········	handkerchief
头巾 tóujīn	·········	scarf
香皂 xiāngzào	·········	soap
橡皮 xiàngpí	·········	eraser
膏药 gāoyao	·········	plaster
玻璃 bōli	·········	glass
黑板 hēibǎn	·········	blackboard

砖 zhuān	....	brick
匾 biǎn	....	plaque
广告牌 guǎnggàopái	....	billboard

▍用法 4

◀用法解释▶

用于钱。

Individual measure word for Chinese currency.

◀搭配示例▶

一块——

银圆
yínyuán

其他搭配示例：

| 钱 qián | .... | money |
| 金币 jīnbì | .... | gold coin |

☺说明：

一块相当人民币一元。

"块"（钱）is equivalent to "元"（yuán）in
Chinese currency.

 kǔn bundle

集合量词 Collective measure word

■用法 1

◀用法解释▶

用于计量捆在一起的东西。

Collective measure word for things tied
together.

◀搭配示例▶

一捆——

稻草
dàocǎo

大葱
dàcōng

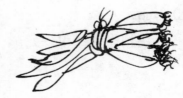

其他搭配示例：

竹竿 zhúgān ············ bamboo pole

树苗 shùmiáo ············ seedling

干柴 gānchái ············ bavin

纱布 shābù ············ gauze

用法 2

◀用法解释▶

用于计量书报等物。

Collective measure word for books, newspapers, etc. fastened together.

◀搭配示例▶

一捆——

旧报纸 jiù bàozhǐ ········ old newspaper

书 shū ········ book

杂志 zázhì ········ magazine

lèi

集合量词 Collective measure word

用法 1

◀用法解释▶

用于计量相类似的人。

Kind: collective measure word for a class of persons who have similar characteristics.

◀搭配示例▶

一类——

人 rén ············ human, person

角色 juésè ………… part, role
罪犯 zuìfàn ………… criminal

▌用法 2

◀用法解释▶

用于计量相类似的事物。

Category：collective measure word for things which are alike in some way.

◀搭配示例▶

一类——

事 shì ………… accident
问题 wèntí ………… issue
案件 ànjiàn ………… case
大奖 dàjiǎng ………… award
彩票 cǎipiào ………… lottery

▌用法 3

◀用法解释▶

用于计量相类似的物品。

Category：collective measure word for similar goods.

◀ 搭配示例 ▶

一类——

垃圾 lājī	········	garbage
皮革 pígé	········	leather
羊毛 yángmáo	········	wool
车 chē	········	vehicle
灯具 dēngjù	········	lamp
装饰板 zhuāngshìbǎn	········	decorative board

用法 4

◀ 用法解释 ▶

用于计量同类的动物。

Kind: collective measure word for animals of the same kind.

◀ 语境示例 ▶

老鼠 和 鼹鼠 都 是 同 一 类 动物。
Lǎoshǔ hé yǎnshǔ dōu shì tóng yí lèi dòngwù.

鹰 和 麻雀 是 相近 的 两 类 禽类。
Yīng hé máquè shì xiāngjìn de liǎng lèi qínlèi.

鳝鱼 和 蛇 不 属于 一 类。
Shànyú hé shé bù shǔyú yí lèi.

粒 lì grain

<u>个体量词</u> Individual measure word

用法 1

◀用法解释▶

个体量：用于计量很小的硬的东西。

Individual measure word for small, hard things, such as sand, etc.

◀搭配示例▶

一粒——

子弹
zǐdàn

珠子
zhūzi

其他搭配示例：

沙子 shāzi ·················· sand

用法 2

◀用法解释▶

个体量：用于谷物。

Individual measure word for grain.

◀搭配示例▶

一粒——

种子 zhǒngzi	…………	seed
米 mǐ	…………	rice
谷子 gǔzi	…………	millet
豆子 dòuzi	…………	bean

用法 3

◀用法解释▶

个体量：用于药。

Individual measure word for medicine.

◀搭配示例▶

一粒——

药丸 yàowán	…………	pill
仁丹 réndān	…………	throat lozenge

脸 liǎn face

临时量词 Temporary measure word

■用法 1

◀**用法解释**▶

表临时量：用于计量脸上的东西。

Temporary measure word for things on the face.

◀**搭配示例**▶

一脸——

大胡子
dà húzi

其他搭配示例：

小疙瘩 xiǎo gēda	············	pimple
汗水 hànshuǐ	············	sweat
雪 xuě	············	snow
泥巴 níba	············	mud

■用法 2

◀用法解释▶

表临时量：用于表示脸上的表情。

Temporary measure word for expressions on the face.

◀搭配示例▶

一脸——

怒气 nùqì	………	anger
笑容 xiàoróng	………	smile
悲哀 bēi'āi	………	sorrowful
哭相 kūxiàng	………	pull a long face

☺ 说明：

作临时量词，和抽象名词搭配有夸张色彩。

Temporary measure word for some abstract nouns with an exaggerated effect.

数词限用"一"。

Here "脸" can be preceded only by the numeral "一".

liǎng

度量衡量词 Metrology measure word

◀用法解释▶

重量单位：用于计量东西的重量。

Liang：measure word for the weight of things.

◀搭配示例▶

一两——

黄金
huángjīn

人参
rénshēn

其他搭配示例：

米饭 mǐfàn	....	rice
白糖 báitáng	....	white sugar
油 yóu	....	oil
毛线 máoxiàn	....	knitting wool

辆 liàng

个体量词 Individual measure word

◀用法解释▶

用于计量运输工具等。

Measure word for any conveyance, etc.

◀搭配示例▶

一辆——

大客车
dàkèchē

坦克
tǎnkè

其他搭配示例：

出租汽车 chūzū qìchē	.... taxi
电车 diànchē	.... tram
马车 mǎchē	.... carriage
面包车 miànbāochē	.... minibus

166

三轮车 sānlúnchē ·········· tricycle

自行车 zìxíngchē ·········· bicycle

推土机 tuītǔjī ·········· bulldozer

列 liè row, line

集合量词 Collective measure word

用法 1

◀**用法解释**▶

用于计量成行成列的车。

Collective measure word for a line of vehicles.

◀**搭配示例**▶

一列——

火车
huǒchē

其他搭配示例：

货车 huòchē ··········· truck

油罐车 yóuguànchē

··········· fuel tank truck

客车 kèchē ·········· carriage

观光车 guānguāngchē

·········· tourist coach

用法 2

◀用法解释▶

用于计量成行的人。

Collective measure word for people in a line.

◀搭配示例▶

一列——

横队
héngduì

其他搭配示例：

纵队 zòngduì ·········· file

绺 liǔ(r) skein; lock; tuft

部分量词 Partial measure word

用法 1

◀用法解释▶

用于计量毛状物。

Partial measure word for filamentous things, such as hair and silk.

◀搭配示例▶

一绺

麻线 máxiàn	…………	hemp thread
丝带 sīdài	…………	ribbon

用法 2

◀用法解释▶

用于计量头发、胡须。

Partial measure word for hair or beard.

◀搭配示例▶

一绺—

长发 chángfà ············ long hair

溜 **liù** line; row

集合量词 Collective measure word

用法 1

◀用法解释▶

用于计量成行的植物。

Collective measure word for a number of plants in a line.

◀搭配示例▶

一溜—

小松树
xiǎosōngshù

高粱
gāoliang

其他搭配示例：

向日葵 xiàngrìkuí ········· sunflower

用法 2

◀ **用法解释** ▶

用于成行的事物。

Collective measure word for a number of things in a line.

◀ **搭配示例** ▶

一溜——

风筝
fēngzheng

其他搭配示例：

栅栏 zhàlan ············ barrier

大房子 dà fángzi ············ house

灯笼 dēnglong ·············· lantern

小船 xiǎo chuán ·············· boat

大缸 dà gāng ·············· jar

蜡烛 làzhú ·············· candle

用法 3

◀用法解释▶

用于表示跑得快。

Collective measure for certain action done in a rush.

◀语境示例▶

马队 踏起 一 溜 尘土 。
Mǎduì tàqǐ yí liù chéntǔ.

他 一溜 小跑 地 去了 车站 ，去 接
Tā yí liù xiǎopǎo de qùle chēzhàn, qù jiē

他 的 妈妈 。
tā de māma.

小 李 一 溜儿 烟 地 跑去 吃
Xiǎo Lǐ yí liùr yān de pǎoqu chī

饭 了。
fàn le.

lǚ strand; wisp; lock

<u>部分量词</u> Partial measure word

用法 1

◀**用法解释**▶

用于计量毛状物。

Partial measure word for filamentous things, such as hair and silk.

◀**搭配示例**▶

一缕——

草丝 cǎosī	....	grass
丝线 sīxiàn	....	silk thread
丝带 sīdài	....	silk ribbon

用法 2

◀**用法解释**▶

用于表示光线或气味等。

Partial measure word for light, smell, etc.

◀语境示例▶

一 缕 阳光 射 进 屋 来。
Yì lǚ yángguāng shè jìn wū lai.

从 厨房 里 飘出 缕缕 清香。
Cóng chúfáng li piāochū lǚ lǚ qīngxiāng.

一 缕 光 从 门缝 射 进 屋 来。
Yì lǚ guāng cóng ménfèng shè jìn wū lai.

用法 3

◀用法解释▶

和表示情绪的抽象名词搭配。

Partial measure word for some abstract nouns expressing emotions.

◀语境示例▶

缕 缕 忧愁 涌上 心头。
Lǚ lǚ yōuchóu yǒngshàng xīntóu.

一 缕 喜悦 浮 在 脸上。
Yì lǚ xǐyuè fú zài liǎnshang.

心里 升起 一 缕 烦恼。
Xīnli shēngqǐ yì lǚ fánnǎo.

☺ 说明:

"缕"可以重叠使用。"缕"表示心情的时候只能用数词"一"。

Here "缕" can be repeated, and preceded only by the numeral "一" when indicating one's mood.

 luò pile

集合量词 Collective measure word

用法 1

◀用法解释▶

用于计量餐具。

Collective measure word for tableware.

◀搭配示例▶

一摞——

盘子
pánzi

碗
wǎn

其他搭配示例：

| 煎锅 jiānguō | .... | frying pan |

用法 2

◀用法解释▶

用于计量摞在一起的东西。

Collective measure word for a stack of things laid orderly.

◀搭配示例▶

一摞——

衬衫
chènshān

毛毯
máotǎn

其他搭配示例：

被子 bèizi	....	quilt
书 shū	....	book
砖 zhuān	....	brick

轮 lún wheel; ring

个体量词 Individual measure word

■用法 1

◀用法解释▶

用于表示太阳、月亮等。

Individual measure word for the sun, moon, etc.

◀搭配示例▶

一轮——

圆月
yuányuè

红日
hóngrì

其他搭配示例：

光环 guānghuán ········ halo, ring of light

■用法 2

◀用法解释▶

用于循环出现的事物。

Measure word to indicate something that circulates.

◀语境示例▶

姐姐 比 我 大 一 轮。
Jiějie bǐ wǒ dà yì lún.

十二 岁 为 一 年 轮。
Shí'èr suì wéi yì nián lún.

排球赛 打了 两 轮。
Páiqiúsài dǎle liǎng lún.

M

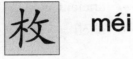

méi

<u>个体量词</u> Individual measure word

用法 1

◀用法解释▶

用于计量较小的圆状或块状东西。

Individual measure word for some small, round or lump-shaped things.

◀搭配示例▶

一枚——

奖章	胸针	邮票
jiǎngzhāng	xiōngzhēn	yóupiào

其他搭配示例：

古钱 gǔqián .... ancient coin

贝壳 bèiké .... shell

◀ **语境示例** ▶

他 有 几 枚 金币。
Tā yǒu jǐ méi jīnbì.

奥运会 上 小 李 得了 两
Àoyùnhuì shang Xiǎo Lǐ déle liǎng

枚 金牌。
méi jīnpái.

孩子 有 一 枚 贝壳。
Háizi yǒu yì méi bèiké.

■用法 2

◀用法解释▶

用于计量火箭、导弹等。

Individual measure word for rockets, missiles, etc.

◀搭配示例▶

一枚——

火箭 huǒjiàn	………	rocket
炸弹 zhàdàn	………	bomb
鱼雷 yúléi	………	torpedo
导弹 dǎodàn	………	guided missile
原子弹 yuánzǐdàn	………	atomic bomb

 mén

个体量词 Individual measure word

■用法 1

◀用法解释▶

用于表示学科、学问等。

量词一点通

Individual measure word for discipline, branch of learning, etc.

◀搭配示例▶

一门——

课程 kèchéng ·············· course

学科 xuékē ·············· discipline

学问 xuéwen ·············· branch of learning

专长 zhuāncháng

·············· specialized knowledge

科学 kēxué ·············· science

专业 zhuānyè ·············· specialized subject

技术 jìshù ·············· technology

功课 gōngkè ·············· schoolwork, lesson

用法 2

◀用法解释▶

用于家族、婚姻、亲戚等。

Individual measure word for clans, marriages, relatives, etc.

◀搭配示例▶

一门——

婚姻
hūnyīn

◀语境示例▶

他 有 一 门 亲戚 在 国外。
Tā yǒu yì mén qīnqi zài guówài.

这 是 一 门 好 亲事。
Zhè shì yì mén hǎo qīnshì.

用法 3

◀用法解释▶

用于计量炮。

Individual measure word for cannons.

◀语境示例▶

海 边 炮台 上 有 一 门 大炮。
Hǎi biān pàotái shang yǒu yì mén dàpào.

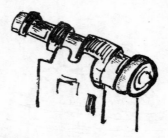

其他语境示例:

车 上 拉着 两 门 小 土炮。
Chē shang lāzhe liǎng mén xiǎo tǔpào.

他们 有 3 门 火箭炮。
Tāmen yǒu sān mén huǒjiànpào.

 面 miàn

个体量词 Individual measure word

用法 1

◀用法解释▶

用于计量鼓、镜子等。

Individual measure word for mirrors, drums, etc.

◀搭配示例▶

一面——

鼓
gǔ

镜子
jìngzi

其他搭配示例：

锦旗 jǐnqí .... silk banner

红旗 hóngqí .... red flag

用法 2

◀用法解释▶

用于计量有平面的东西等。

Individual measure word for things with a flat or level surface.

◀搭配示例▶

一面——

墙 qiáng ⋯⋯⋯⋯ wall

屏风 píngfēng ⋯⋯⋯⋯ screen

用法 3

◀用法解释▶

用于人会面的次数。

Individual measure word for the times of meeting between two persons.

◀语境示例▶

妈妈 临终 想 见 儿子 一 面。
Māma línzhōng xiǎng jiàn érzi yí miàn.

他 和 他 的 女朋友 没 见 几 面
Tā hé tā de nǚpéngyou méi jiàn jǐ miàn

就 分 手 了。
jiù fēn shǒu le.

 míng

个体量词 Individual measure word

◀用法解释▶

用于计量人。

Individual measure word for people.

◀搭配示例▶

一名——

士兵
shìbīng

飞行员
fēixíngyuán

其他搭配示例：

海员 hǎiyuán	…………	seaman
歌手 gēshǒu	…………	singer
医生 yīshēng	…………	doctor

◀短语示例▶

两 名　公务员
liǎng míng gōngwùyuán

几名　会计师
jǐ míng kuàijìshī

三　名　工人
sān míng gōngrén

P

 pái　　row; line

个体量词 Collective measure word

用法 1

◀用法解释▶

用于成排的人或动物。

Collective measure word for people or animals in a row.

◀搭配示例▶

一排——

老人 lǎorén　　………… old people

女孩儿 nǚháir	············	girl
男孩儿 nánháir	············	boy
女警察 nǚ jǐngchá	············	policewoman
观众 guānzhòng	············	audience

用法 2

◀用法解释▶

用于排起来的建筑物等。

Collective measure word for buildings in a line.

◀搭配示例▶

一排———

平房 píngfáng	······	one-storey house
大楼 dàlóu	······	multi-storied building
橱窗 chúchuāng	······	shop window
石柱 shízhù	······	stone pillar
石人 shírén	······	stone human figure
雕像 diāoxiàng	······	statue

■用法 3

◀用法解释▶

用于计量左右横列的东西。

Collective measure word for things in a row.

◀搭配示例▶

一排——

酒瓶 jiǔpíng	…………	wine bottle
花篮 huālán	…………	flower basket
桌子 zhuōzi	…………	table
椅子 yǐzi	…………	chair
货架 huòjià	…………	goods shelves
书柜 shūguì	…………	bookcase
汽车 qìchē	…………	car

■用法 4

◀用法解释▶

用于计量自然物。

Collective measure word for natural sub-stances.

◀搭配示例▶

一排——

向日葵
xiàngrìkuí

白杨树
báiyángshù

其他搭配示例：

海浪 hǎilàng ············· billow

用法 5

◀用法解释▶

用于表示牙齿。

Collective measure word for teeth.

◀语境示例▶

孩子 长着 两 排 洁白 的 牙齿。
Háizi zhǎngzhe liǎng pái jiébái de yáchǐ.

鲨鱼 露出 两 排 尖 牙。
Shāyú lòuchū liǎng pái jiān yá.

pán(r) dish;plate

兼职量词 Double-function measure word

☺ 作个体量词也作容器量词。

Individual measure word and container measure word.

■用法 1

◀用法解释▶

用于样子类似大盘子的东西。

Individual measure word for big plate-shaped things.

◀搭配示例▶

一盘——

石磨
shímò

钢丝
gāngsī

其他搭配示例：

电缆 diànlǎn ············ electric cable

用法 2

◀ **用法解释** ▶

用于计量棋类游戏等。

Individual measure word for a chess or any board game, etc.

◀ **语境示例** ▶

他们　下了　一　盘　围棋。
Tāmen xiàle yì pán wéiqí.

其他搭配示例：

孩子们　玩了　两　盘　跳棋。
Háizimen wánle liǎng pán tiàoqí.

晚上　　老人　常　喜欢　下　几　盘
Wǎnshang lǎorén cháng xǐhuan xià jǐ pán

象棋。
xiàngqí.

194

■用法 3

◀用法解释▶

用于计量类似小盘子的东西。

Individual measure word for small plate-shaped things.

◀搭配示例▶

一盘儿——

磁带 cídài	·············	magnetic tape
录音带 lùyīndài	·············	tape
影碟 yǐngdié	·············	VCD
蚊香 wénxiāng	·············	mosquito-repel-lent incense

■用法 4

◀用法解释▶

用于计量盘子盛的东西。

Container measure word for the contents of a plate.

◀搭配示例▶

一盘儿——

鱼
yú

其他搭配示例：

面条 miàntiáo ·········· noodle

西红柿 xīhóngshì ·········· tomato

水果 shuǐguǒ ·········· fruit

 pén basin; pot

容器量词 Container measure word

◀用法解释▶

用于计量用盆装的东西。

Container measure word for the things in a basin.

◀语境示例▶

奶奶 端来 一 盆 水。
Nǎinai duānlai yì pén shuǐ.

爷爷 养了 几 盆 花。
Yéye yǎngle jǐ pén huā.

 批 pī batch

集合量词 Collective measure word

用法 1

◀用法解释▶

用于计量人。

Collective measure word for people.

◀搭配示例▶

一批——

难民 nànmín	…refugee
女纺织工 nǚ fǎngzhīgōng	
	…woman textile worker
军人 jūnrén	…soldier
伤员 shāngyuán	…wounded soldier
打工崽 dǎgōngzǎi	…employed laborer
清洁工 qīngjiégōng	…dustman, cleaner

用法 2

◀用法解释▶

用于计量货物。

Collective measure word for goods.

◀搭配示例▶

一批——

电冰箱
diànbīngxiāng

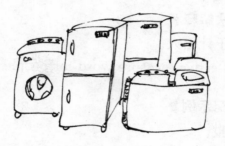

其他搭配示例：

货物 huòwù ······ goods

土特产 tǔtèchǎn ······ special local product

粮食 liángshi ······ grain

新产品 xīn chǎnpǐn ······ new product

匹 pǐ

专职量词 Proper measure word

用法 1

◀ 用法解释 ▶

用于计量马、骡、骆驼。

Measure word for horses, mules, camels, etc.

◀ 搭配示例 ▶

一匹——

马
mǎ

骆驼
luòtuo

用法 2

◀用法解释▶

用于计量棉布、丝绸等。

Measure word for cotton cloth, silk, etc.

◀搭配示例▶

一匹——

棉布 miánbù	…………	cotton cloth
绸缎 chóuduàn	…………	silks and satins
丝绸 sīchóu	…………	silk
毛料 máoliào	…………	wollens

篇 piān(r)

部分量词 Partial measure word

用法 1

◀用法解释▶

用于计量文章等。

Measure word for writings, etc.

◀搭配示例▶

一篇——

小说 xiǎoshuō ············ novel

散文 sǎnwén ············ essay

诗 shī ············ poem

报告文学 bàogào wénxué

············ reportage

论文 lùnwén ············ thesis

作文 zuòwén ············ composition

故事 gùshi ············ story

社论 shèlùn ············ leading article

用法 2

◀用法解释▶

用于表示纸张、书页（两页为一篇儿）。

Piece: partial measure for a sheet of paper or a leaf (two pages) of a book.

◀语境示例▶

小 林 从 本 上 撕 了 两 篇 纸。
Xiǎo Lín cóng běn shang sīle liǎng piān zhǐ.

他 写 满 了 一 篇 稿 纸。
Tā xiěmǎnle yì piān gǎozhǐ.

片 piàn(r)

部分量词 Partial measure word

用法 1

◀用法解释▶

用于计量平而薄的东西。

Partial measure word for thin, flat pieces of something.

◀搭配示例▶

一片儿——

面包 miànbāo	……… bread
姜 jiāng	……… ginger
黄瓜 huánggua	……… cucumber
肉片 ròupiàn	……… sliced meat
止痛片 zhǐtòngpiàn	……… anodyne tablet
雪花 xuěhuā	……… snowflake
树叶 shùyè	……… leaf

用法 2

◀用法解释▶

用于计量面积范围较大的某物。

Stretch: partial measure word for a vast expanse of something.

◀搭配示例▶

一片——

湖泊
húpō

其他搭配示例:

麦田 màitián ……wheat field

大楼 dàlóu ……multi-storied building

废墟 fèixū ……ruin

森林 sēnlín ……forest

用法 3

◀用法解释▶

用于修饰声音、话语等。

Measure word for sounds, voices, etc.

◀搭配示例▶

一片——

欢呼声 huānhūshēng　……　cheer

吵闹声 chǎonàoshēng　……　hubbub

沙沙的雨声 shāshā de yǔshēng
　　　　　　　　……　rustle of rain

滚滚涛声 gǔngǔn tāoshēng
　　　　　　　　……　soughing of
　　　　　　　　　　　billows

沉静 chénjìng　　　……　silence

☺ 说明：

这里只限用数词"一"。

Here "片" can be preceded only by the numeral "一".

用法 4

◀用法解释▶

用于修饰景象。

Measure word for scenery.

◀搭配示例▶

一片——

荒凉 huāngliáng ············ desolation

繁荣的景象 fánróng de jǐngxiàng

············ scene of

prosperity

混乱 hùnluàn ············ confusion

欢腾 huānténg ············ joyous

繁忙 fánmáng ············ busy

☺ 说明：

这里只限用数词"一"。

Here "片" can be preceded only by the numeral "一".

用法 5

◀用法解释▶

用于表达心意。

Measure word to indicate a kindly feeling.

◀搭配示例▶

一片——

真心 zhēnxīn ...... honest and sincere

好心 hǎoxīn ...... good intention

诚心 chéngxīn ...... honest

☺ 说明：

这里只限用数词"一"。

Here "片" can be preceded only by the numeral "一".

撇 piě

个体量词 Individual measure word

用法 1

◀用法解释▶

用于计量汉字的笔画。

Measure word for the left-falling stroke of a Chinese character.

◀ **语境示例** ▶

"八" 字 一 撇 一 捺， 共 两 画。
"Bā" zì yì piě yí nà, gòng liǎng huà.

"木" 字 也 有 一 撇。
"Mù" zì yě yǒu yì piě.

"彩" 字 右边 是 三 撇。
"Cǎi" zì yòubiān shì sān piě.

用法 2

◀ **用法解释** ▶

用于计量像一撇笔画的胡子。

Measure word for mustache like the left-falling stroke of a Chinese character.

◀ **语境示例** ▶

先生 长着 两 撇 八字 胡。
Xiānsheng zhǎngzhe liǎng piě bāzì hú.

其他语境示例：

孩子 给 自己 画上了　两 撇 小 胡子。
Háizi gěi zìjǐ huàshangle liǎng piě xiǎo húzi.

这 个 年轻人 留着 两 撇 小
Zhè ge niánqīngrén liúzhe liǎng piě xiǎo

胡子。
húzi.

瓶　píng

容器量词 Container measure word

◀用法解释▶

用于计量瓶装的液态物。

Container measure word for bottles of liquid substances.

◀搭配示例▶

一瓶——

啤酒　　　　可乐　　　　药片
píjiǔ　　　　kělè　　　　yàopiàn

其他搭配示例:

墨水儿 mòshuǐr	……………	ink
油 yóu	……………	grease
汽水儿 qìshuǐr	……………	soda water; soft drink

期 qī issue

<u>个体量词 Individual measure word</u>

■用法 1

◀用法解释▶

用于计量报刊、杂志。

Measure word for newspapers or periodicals.

◀搭配示例▶

一期——

少年报
shàonián bào

妇女杂志
fùnǚ zázhì

其他搭配示例：

画刊 huàkān ·········· pictorial

用法 2

◀用法解释▶

用于计量分期的事物。

Measure word for things that appear by stages.

◀语境示例▶

办了 一 期 烹饪 学习班。
Bànle yì qī pēngrèn xuéxíbān.

办了 一 期 武术 训练班。
Bànle yì qī wǔshù xùnliànbān.

我们 的 学校 培养了 九 期 学员。
Wǒmen de xuéxiào péiyǎngle jiǔ qī xuéyuán.

211

这 个 大学 已经 毕业了 一百 多
Zhè ge dàxué yǐjing bìyèle yìbǎi duō

期 毕业生。
qī bìyèshēng.

 qǐ case

专职量词 Proper measure word

◀**用法解释**▶

用于计量意外发生的事。

Measure word for unexpected accidents or events.

◀**搭配示例**▶

一起——

车祸 chēhuò	……	traffic accident
空难 kōngnàn	……	air accident
杀人案 shārén'àn	……	murder case
海难 hǎinàn	……	perils of the sea

quān circle

集合量词 Collective measure word

用法 1

◀用法解释▶

用于计量成圈状的人。

Collective measure word for people in a circle.

◀语境示例▶

广场　　　上　坐着　一　圈
Guǎngchǎng shang zuòzhe yì quān

小朋友。
xiǎopéngyǒu.

一　圈　人　在　打　牌。
Yì quān rén zài dǎ pái.

▓用法 2

◀用法解释▶

用于计量成圈状的物。

Collective measure word for things arranged in a circle.

◀语境示例▶

屋里 摆了 一 圈 椅子。
Wū li bǎile yì quān yǐzi.

院子 周围 种了 一 圈
Yuànzi zhōuwéi zhòngle yì quān

小 白杨。
xiǎo báiyáng.

▓用法 3

◀用法解释▶

用于计量绕圈的动作。

Measure word for certain actions of revolving.

表动量。

Measure word for verbs.

◀短语示例▶

dǎle yì quān pái
打 了 一 圈 牌

其他短语示例：

跑 了 一 圈　　　　转 了 　 两 　 圈
pǎole yì quān　　　zhuànle liǎng quān

走 了 一 圈　　　　找 了 几 圈
zǒule yì quān　　　zhǎole jǐ quān

 qún　　crowd；flock

集合量词 Collective measure word

用法 1

◀用法解释▶

用于计量聚集的人。

Crowd：collective measure word for a number of people gathering together.

215

◀搭配示例▶

一群

人 rén	············	human, people
顾客 gùkè	············	buyer
海员 hǎiyuán	············	seaman
打手 dǎshou	············	hatchet man
强盗 qiángdào	············	bandit

☺ 说明：

有时有贬义色彩。

Sometimes "群" has a derogatory sense.

用法 2

◀用法解释▶

用于计量聚集的鸟类、动物。

Flock: collective measure word for birds or animals of the same kind.

◀搭配示例▶

一群——

羊
yáng

其他搭配示例:

牛 niú	....	cow
小鸡 xiǎojī	....	chicken
鸭子 yāzi	....	duck
小猪 xiǎozhū	....	piglet

用法 3

◀用法解释▶

用于计量聚集的岛屿等。

Flock：collective measure word for a number of close islands and islets.

◀搭配示例▶

一群

岛屿	dǎoyǔ	......	islands and islets
礁石	jiāoshí	......	reef
珊瑚礁	shānhújiāo	......	coral reef

R

人次 **rénci** person/time

复合量词 Compound measure word

◀用法解释▶

用于计量人数及活动次数的总和。

Measure for the total number of persons and activities.

◀语境示例▶

今天　　到　　飞机场　　参观　　的　有
Jīntiān dào fēijīchǎng cānguān de yǒu

两　　万　人次。
liǎng wàn rén cì.

来　小镇　参观　的　有　两千
Lái xiǎozhèn cānguān de yǒu liǎngqiān

人次。
réncì.

只　一　天　到　纪念碑　前　献
Zhǐ yì tiān dào jìniànbēi qián xiàn

花圈　的　就　有　一万　人次。
huāquān de jiù yǒu yíwàn réncì.

S

 shàn

<u>个体量词</u> Individual measure word

◀用法解释▶

用于计量门、窗、屏风等。

Individual measure word for doors, windows, screens, etc.

◀搭配示例▶

一扇——

门 mén

窗户 chuānghu

 勺 sháo spoon

容器量词 Container measure word

用法 1
◀用法解释▶
用于计量用勺盛的东西。
Container measure word for the contents in a spoon.

◀搭配示例▶
一勺——

221

牛奶
niúnǎi

米饭
mǐfàn

其他搭配示例：

糖 táng ············ sugar

醋 cù ············ vinegar

用法 2

◀用法解释▶

用于计量用勺的动作。

Measure word for actions done through a spoon.

◀语境示例▶

爷爷 喝了 一 勺 西红柿 汤。
Yéye hēle yì sháo xīhóngshì tāng.

小 王 吃了 一 勺 鸡蛋 炒饭。
Xiǎo Wáng chīle yì sháo jīdàn chǎofàn.

shēn body; suit

临时量词 Temporary measure word

用法 1

◀用法解释▶

表集合量:用于整套的衣服。

Collective measure word for a set of clothes.

◀搭配示例▶

一身——

宇航服
yǔhángfú

运动服
yùndòngfú

其他搭配示例:

花衣服 huā yīfu ······ bright-coloured clothes

防寒服 fánghánfú ⋯⋯ winter outwear

泳装 yǒngzhuāng ⋯⋯ swimming suit

用法 2

◀用法解释▶

作临时量词：计量与身体有关的事物。

Temporary measure word for something associated with one's body.

◀短语示例▶

| 一 身 雪 | 一 身 汗 |
| yì shēn xuě | yì shēn hàn |

| 一 身 泥 | 一 身 土 |
| yì shēn ní | yì shēn tǔ |

☺ 说明：

这里限用数词"一"。

Here "身" can be preceded only by the numeral "一".

用法 3

◀用法解释▶

用于抽象名词。

Temporary measure word for abstract nouns.

◀语境示例▶

他 有 一 身 的 好 武艺。
Tā yǒu yì shēn de hǎo wǔyì.

老 先生 一 身 正气。
Lǎo xiānsheng yì shēn zhèngqì.

☺ 说明:

这里限用数词"一"。

Here "身" can be preceded only by the
numeral "一".

 shēng

个体量词 Individual measure word

■用法 1

◀用法解释▶

用于计量可以听到的声音。

Measure word for the sounds that can be
heard.

◀短语示例▶

几 声 呼唤　　几 声 叹息
jǐ shēng hūhuàn　　jǐ shēng tànxī

一 声 雷鸣　　一 声 怒吼
yì shēng léimíng　　yì shēng nùhǒu

用法 2

◀用法解释▶

用于说话、喊叫等。

Measure word for speaking, shouting, etc.

表动量。

Measure word for verbs.

◀语境示例▶

你 怎么 也 不 说 一 声 就
Nǐ zěnme yě bù shuō yì shēng jiù

走 啦?
zǒu la?

我 走 啦, 请 转告 他 一 声。
Wǒ zǒu la, qǐng zhuǎngào tā yì shēng.

喊 他 一 声, 车 来 了。
Hǎn tā yì shēng, chē lái le.

告诉 他 一 声, 车 要 开 了。
Gàosu tā yì shēng, chē yào kāi le.

shǒu hand

<u>临时量词 Temporary measure word</u>

用法 1

◀用法解释▶

用于计量粘在手上的东西。

Measure word for a hand stuck with something.

◀短语示例▶

一 手 泥
yì shǒu ní

一 手 面
yì shǒu miàn

一 手 油漆
yì shǒu yóuqī

用法 2

◀用法解释▶

用于修饰手艺、技能。

Measure word to express someone's consummate skill.

227

◀搭配示例▶

一手──

好枪法
hǎo qiāngfǎ

好手艺
hǎo shǒuyì

用法 3

◀用法解释▶

用于表示技能、本领。

Measure word for a kind of skill or ability.

◀短语示例▶

学了一手
xuéle yì shǒu

露一手
lòu yì shǒu

首 shǒu

专职量词 Proper measure word

◀用法解释▶

用于计量诗、歌曲等。

Measure word for poems, songs, etc.

◀搭配示例▶

一首——

歌 gē ················· song

◀语境示例▶

他 写了 一 首 诗。
Tā xiěle yì shǒu shī.

《敖包 相会》 是 一 首 很 好听
《Áobāo Xiānghuì》 shì yì shǒu hěn hǎotīng

的 蒙古 民歌。
de Měnggǔ míngē.

年轻人 总 喜欢 唱 几 首
Niánqīngrén zǒng xǐhuan chàng jǐ shǒu

流行 歌曲。
liúxíng gēqǔ.

shù bunch; bundle

集合量词 Collective measure word

◀**用法解释**▶

用于计量捆在一起的东西。

Collective measure word for things of the same kind fastened together.

◀**搭配示例**▶

一束——

鲜花
xiānhuā

其他搭配示例:

花草	huācǎo	··········	flowers and grass
红玫瑰	hóngméigui	··········	red rose
水仙	shuǐxiān	··········	narcissus

 shuāng   pair

定量量词 Definite measure word

用法 1

◀用法解释▶

用于计量成对的物品。

Measure word for two things of the same kind to be used together.

◀搭配示例▶

一双——

筷子
kuàizi

手套
shǒutào

其他搭配示例：

皮鞋 píxié	......	leather shoes
冰鞋 bīngxié	......	skates
拖鞋 tuōxié	......	slippers
袜子 wàzi	......	socks, stockings

用法 2

◀用法解释▶

用于计量人体器官。

Measure word for some organs of the human body.

◀搭配示例▶

一双——

脚 jiǎo	....	foot
手 shǒu	....	hand
眼睛 yǎnjing	....	eye

用法 3

◀用法解释▶

用于计量成双成对的人。

Collective measure word for people in pairs.

◀搭配示例▶

一双——

儿女
érnǚ

◀语境示例▶

游客们 在草地 上 双 双
Yóukèmen zài cǎodì shang shuāng shuāng

对 对 的 跳 起 舞 来。
duì duì de tiào qǐ wǔ lai.

他 的 一 双 儿女 都 是 大学生。
Tā de yì shuāng érnǚ dōu shì dàxuéshēng.

湖 边 都 是 成 双 成 对
Hú biān dōu shì chéng shuāng chéng duì

的 年轻人。
de niánqīngrén.

丝 　 SĪ 　 pair

定量量词 Definite measure word

用法 1

◀ **用法解释** ▶

用于表示人的容貌、表情。

Measure word for someone's appearance
or facial expression.

◀ **搭配示例** ▶

一丝——

皱纹
zhòuwén

其他搭配示例：

白发 báifà	………	white hair
微笑 wēixiào	………	smile
忧虑 yōulǜ	………	worry

▍用法 2

◀用法解释▶

用于表示自然风景、自然现象。

Measure word for a scene or phenomenon in nature.

◀搭配示例▶

一**丝**——

风 fēng	………	foot
细雨 xìyǔ	………	drizzle
裂缝 lièfèng	………	crack

◀短语示例▶

一 丝 声响 也 没有
yì sī shēngxiǎng yě méiyǒu

一 丝 亮光 也 没有
yì sī liàngguāng yě méiyǒu

用法 3

◀用法解释▶

用于表示抽象的事物。

Measure word for some abstract nouns.

◀语境示例▶

钱　丢了，但　保险柜　　上　　没
Qián diū le, dàn bǎoxiǎnguì shang méi

留 一 丝 痕迹。
liú yì sī hénjì.

文章　　　写 得 真 好，一 丝 纰漏
Wénzhāng xiě de zhēn hǎo, yì sī pīlòu

也 没有。
yě méiyǒu.

妈妈　　脸上　　露出 一 丝 温馨
Māma liǎnshang lòuchū yì sī wēnxīn

的 笑容。
de xiàoróng.

sōu pair

专职量词 Proper measure word

◀**用法解释**▶

用于计量较大的船。

Measure word for vessels of considerable size.

◀**搭配示例**▶

一艘——

轮船 lúnchuán	军舰 jūnjiàn

其他搭配示例:

航空母舰 hángkōng mǔjiàn

.... aircraft carrier

岁 suì

专职量词 Proper measure word

◀**用法解释**▶

用于计量人或动物的年龄。

Measure word for the age of people or animals.

◀**短语示例**▶

黑猩猩　六岁　　小　熊　一岁
hēixīngxing liù suì　xiǎo xióng yí suì

孩子　两　岁
háizi liǎng suì

◀**语境示例**▶

这　只　大　黑猩猩　六　岁　了。
Zhè zhī dà hēixīngxing liù suì le.

这　只　小　熊　才　一　岁。
Zhè zhī xiǎo xióng cái yí suì.

他　的　孩子　两　岁　了。
Tā de háizi liǎng suì le.

所 suǒ

个体量词 Individual measure word

用法 1

◀用法解释▶

用于计量建筑物。

Measure word for buildings.

◀搭配示例▶

一所——

房子 fángzi	....	house
楼 lóu	....	building

用法 2

◀用法解释▶

用于计量机关单位。

Measure word for offices, working units, etc.

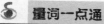

◀搭配示例▶

一所——

幼儿园	yòu'éryuán	……	kindergarten
学校	xuéxiào	……	school

tái

<u>个体量词 Individual measure word</u>

▌用法 1

◀用法解释▶

用于计量机器、设备等。

Measure word for machines, facilities, etc.

◀搭配示例▶

一台——

电视
diànshì

电脑
diànnǎo

其他搭配示例：

蒸汽机 zhēngqìjī …… steam engine

用法 2

◀ 用法解释 ▶

用于计量舞台表演、戏剧等。

Measure word for performances, operas, etc. on the stage.

◀ 搭配示例 ▶

一台——

京戏 jīngxì ………… Beijing opera

歌舞 gēwǔ ………… singing and dancing

魔术表演 móshù biǎoyǎn

………… magic show

tān

部分量词 Partial measure word

◀用法解释▶

用于计量摊开的糊状物。

Measure word for mushy substances spread on a surface.

◀搭配示例▶

一摊——

血 xiě	…………	blood
泥 ní	…………	mud
水 shuǐ	…………	water

 táng

个体量词 Individual measure word

243

◀用法解释▶

用于计量课。

Measure word for classes.

◀短语示例▶

一　堂　英语　课
yì táng Yīngyǔ kè

一　堂　化学　课
yì táng huàxué kè

两　堂　手工　课
liǎng táng shǒugōng kè

三　堂　美术　课
sān táng měishù kè

几　堂　体育　课
jǐ táng tǐyù kè

 tàng

兼职量词 Double-function measure word

☺ 作名量词也作动量词。

Measure word for nouns and verbs.

用法 1

◀ 用法解释 ▶

用于计量来去的次数。

Measure word for the times of coming and going.

◀ 语境示例 ▶

请 您辛苦一 趟，去 看看 他在
Qǐng nín xīnkǔ yí tàng, qù kànkan tā zài

不 在。
bu zài.

爸爸 去了一 趟 上海。
Bàba qùle yí tàng Shànghǎi.

商店 关 门 了，白 跑 一 趟。
Shāngdiàn guān mén le, bái pǎo yí tàng.

用法 2

◀ 用法解释 ▶

用于计量交通运输的次数。

Measure word for the times of communications and transport.

作名量词。

Measure word for nouns.

◀ 短语示例 ▶

只有 一 趟 班机
zhǐyǒu yí tàng bānjī

还有 一 趟 班车
hái yǒu yí tàng bānchē

还有 两 趟 火车
hái yǒu liǎng tàng huǒchē

 tào set

<u>集合量词</u> Collective measure word

用法 1

◀ 用法解释 ▶

用于计量成组的东西。

Collective measure word for a group of things used together.

◀搭配示例▶

一套——

家具
jiājù

邮票
yóupiào

其他搭配示例：

机器设备 jīqì shèbèi ············

machinery and equipment

房间 fángjiān ············ room

画片 huàpiàn ············ picture

西服 xīfú ············ Western-style

clothes

文选 wénxuǎn ············ selected works

用法 2

◀用法解释▶

用于计量有一定关系的成组的人。

Collective measure word for organized groups of people associateed with each other.

◀搭配示例▶

一套——

班子 bānzi ⋯⋯⋯⋯⋯ team，group

人马 rénmǎ ⋯⋯⋯⋯⋯ troops

用法 3

◀用法解释▶

用于计量成组的抽象的事物。

Collective measure word for groups of abstract things.

◀搭配示例▶

一套——

制度 zhìdù ⋯⋯⋯ system

章程 zhāngchéng ⋯⋯⋯ constitution，regulations

办法 bànfǎ ⋯⋯⋯ way，method

规矩 guīju ⋯⋯⋯ established rule

理论 lǐlùn ⋯⋯⋯ theory

用法 4

◀用法解释▶

用于表示人的本领或手段。

Measure word for one's capability or measure.

◀语境示例▶

这 个 女 人 真 有 一 套。
Zhè ge nǚrén zhēn yǒu yí tào.

他 说 一 套，心里 又 想 一 套。
Tā shuō yí tào, xīnli yòu xiǎng yí tào.

老板 治 工 人 可 有 一 套。
Lǎobǎn zhì gōngrén kě yǒu yí tào.

☺ 说明：

这里限用数词"一"。

Here "套" can be preceded only by the numeral "一"。

挑 tiāo

集合量词 Collective measure word

◀**用法解释**▶

用于计量挑起的东西。

Measure word for one's capabilty or measure.

◀**搭配示例**▶

——挑——

| 柴火
cháihuo | 水
shuǐ |

其他搭配示例：

煤 méi ········· coal

tiáo

<u>个体量词 Individual measure word</u>

用法 1

◀用法解释▶

用于计量长条状的东西。

Individual measure word for long, narrow things.

◀搭配示例▶

一条——

项链 xiàngliàn	············	necklace
绳子 shéngzi	············	rope
毛巾 máojīn	············	towl
裤子 kùzi	············	trousers
裙子 qúnzi	············	skirt
口袋 kǒudai	············	pocket
腰带 yāodài	············	belt

用法 2

◀用法解释▶

表定量：用于计量固定数量的物品。

Definite measure word for things of fixed quantity.

◀搭配示例▶

一条——

香烟 xiāngyān ………… cigarette

肥皂 féizào ………… soap

用法 3

◀用法解释▶

用于计量自然界、山河等，也用于计量街道。

Individual measure word for natural things, such as mountains, rivers, etc.

◀搭配示例▶

一条——

大河 dà hé …… great river

山川 shānchuān …… mountains and rivers

大沟 dà gōu	······	gully, ravine
小路 xiǎo lù	······	path
树根 shùgēn	······	root
大街 dàjiē	······	street

用法 4

◀用法解释▶

用于计量昆虫、动物。

Individual measure word for insects or animals.

◀搭配示例▶

一条——

| 狗 | 蛇 |
| gǒu | shé |

其他搭配示例：

| 鱼 | yú | ············ | fish |
| 龙 | lóng | ············ | dragon |

▌用法 5

◀用法解释▶

用于某些抽象的事物，新闻、经验等。

Measure word for abstract things, such as news and experience.

◀搭配示例▶

一条

新闻 xīnwén	…………	news
消息 xiāoxi	…………	information
法律 fǎlǜ	…………	law
意见 yìjiàn	…………	idea, opinion
规矩 guīju	…………	rule
经验 jīngyàn	…………	experience

▌用法 6

◀用法解释▶

用于人或动物的肢体及人的生命。

Individual measure word for limbs of persons or animals, or people's lives.

◀搭配示例▶

一条——

大辫子
dà biànzi

尾巴
wěiba

◀短语示例▶

两　条　胳膊
liǎng tiáo gēbo

两　条　腿
liǎng tiáo tuǐ

◀语境示例▶

老　赵　是　一　条　好汉。
Lǎo Zhào shì yì tiáo hǎohàn.

他　杀了　人，叫　他　还　一　条
Tā shāle rén, jiào tā huán yì tiáo

人命。
rénmìng.

tǒng barrel

容器量词 Container measure word

◀用法解释▶

用于计量水、油等。

Container measure word for water, oil, etc.

◀搭配示例▶

一桶——

汽油
qìyóu

纯净水
chúnjìngshuǐ

筒 tǒng tube

容器量词 Container measure word

用法 1

◀用法解释▶

用于计量食品。

Tube: container measure word for a long, hollow clinder for holding foodstuff.

◀搭配示例▶

一筒——

奶粉
nǎifěn

咖啡
kāfēi

其他搭配示例：

| 土豆片 tǔdòupiàn | ········· | crisps |
| 饼干 bǐnggān | ········· | cookies |

用法 2

◀ 用法解释 ▶

用于计量油漆等。

Tube：container measure word for paint，etc.

◀ 搭配示例 ▶

一筒——

油漆
yóuqī

其他搭配示例：

胶 jiāo	·········	glue
沥青 lìqīng	·········	pitch
白浆 báijiāng	·········	whitewash

tòng

动量词 Measure word for verbs

用法 1

◀用法解释▶

用于动作持续的时间量。

Measure word to indicate certain actions lasting for a period of time.

◀短语示例▶

乱 翻了 一 通　　　玩了 一 通
luàn fānle yí tòng　　wánle yí tòng

打逗了 一 通
dǎdòule yí tòng

用法 2

◀用法解释▶

用于说话、喊叫。

Measure word for talking, shouting, etc.

◀搭配示例▶

一通——

说 shuō　……　scold

喊叫 hǎnjiào　……　shout

表白 biǎobái　……　explanation, vindication

☺ 说明：

有时有贬义色彩。这里限用数词"一"。

"通" sometimes has a derogatory sense and can be preceded only by the numeral "一"。

头　tóu　head

个体量词 Individual measure word

用法 1

◀用法解释▶

计量牲畜等。

Individual measure word for domestic animals, etc.

◀搭配示例▶

一头——

羊
yáng

驴
lǘ

牛
niú

其他搭配示例：

| 大象 dàxiàng | .... | elephant |
| 猪 zhū | .... | pig |

用法 2

◀用法解释▶

计量蒜等。

Individual measure word for garlic, etc.

◀搭配示例▶

一头——

蒜
suàn

◀语境示例▶

妈妈 从 超市 买了 几 头 蒜。
Māma cóng chāoshì mǎile jǐ tóu suàn.

团 **tuán** lump

<u>部分量词</u> Partial measure word

用法 1

◀用法解释▶

用于计量团状物。

Partial measure word for materials rolled into a round mass.

◀搭配示例▶

一团——

毛线
máoxiàn

碎纸
suìzhǐ

用法 2

◀用法解释▶

用于表示混乱的现象,常用于抽象事物。

Measure word for some abstract things indicating confusion or disorder.

◀语境示例▶

这 个 公 司 一 团 遭。
Zhè ge gōngsī yì tuán zāo.

枪 响了, 他们 乱作 一 团。
Qiāng xiǎng le, tāmen luànzuò yì tuán.

263

W

 wán

专职量词 Proper measure word

◀用法解释▶

用于计量丸状的中药。

Measure word for a large pill of traditional Chinese medicine.

◀搭配示例▶

一丸——

牛黄清心丸
niúhuáng qīngxīn wán

其他搭配示例：

中药 zhōngyào ······ traditional
Chinese medicine

 wǎn bowl

容器量词 Container measure word

◀**用法解释**▶

计量用碗盛的东西。

Container measure for the contents in a
bowl.

◀**搭配示例**▶

一碗——

面条
miàntiáo

米饭
mǐfàn

其他搭配示例：

粥 zhōu	....	gruel, porridge
菜 cài	....	vegetable
牛奶 niúnǎi	....	milk

 wèi

个体量词 Individual measure word

◀**用法解释**▶

用于计量人。

Individual measure word for people.

◀**搭配示例**▶

一位——

老人
lǎorén

军人
jūnrén

其他搭配示例：

将军 jiāngjūn	·············	general
部长 bùzhǎng	·············	minister
教授 jiàoshòu	·············	professor
老师 lǎoshī	·············	teacher

☺ 说明：

一般用于有社会地位的人，有尊敬的感情色彩。

Generally used for persons of high social rank with the sense of repect.

wèi

专职量词 Proper measure word

◀**用法解释**▶

用于计量一服中药的一种成分。

Partial measure word for the ingredients of a Chinese prescription of traditional Chinese medicine.

◀**搭配示例**▶

一味——

药
yào

◀语境示例▶

治　高血压　有　几　味　药。
Zhì gāoxuèyā yǒu jǐ wèi yào.

荷叶　也　是　一　味　减肥　药。
Héyè yě shì yí wèi jiǎnféiyào.

藕节　是　一　味　止鼻血　药。
Ǒujié shì yí wèi zhǐ bíxiě yào.

窝　**wō**　nest

集合量词 Collective measure word

用法 1

◀用法解释▶

用于计量昆虫、鸟类、小动物。

Collective measure word for all sorts of insects, birds or small animals.

◀搭配示例▶

一窝——

蚂蚁
mǎyǐ

猪
zhū

其他搭配示例:

小狗 xiǎo gǒu ········· puppy

小猫 xiǎo māo ········· kitty

小鹦鹉 xiǎo yīngwǔ········· little parrot

小燕子 xiǎo yànzi ········· little swallow

用法 2

◀用法解释▶

用于计量一胎生的小鸟或小动物。

Collective measure word for the newly born animals delivered at a litter, or all the young birds hatched at one time in a nest.

◀语境示例▶

他 家 的 老母猪 一 窝 下了 八 只
Tā jiā de lǎomǔzhū yì wō xiàle bā zhī

小 猪崽。
xiǎo zhūzǎi.

这 只 兔子 一 窝 下了 十一 只 小兔。
Zhè zhī tùzi yì wō xiàle shíyī zhī xiǎotù.

他 家 养 的 小鸟 一 窝 孵了
Tā jiā yǎng de xiǎoniǎo yì wō fūle

四 只。
sì zhī.

用法 3

◀用法解释▶

用于计量人，有贬义色彩。

Collective measure word for persons in a derogatory sense.

◀搭配示例▶

一窝——

土匪
tǔfěi

强盗
qiángdào

其他搭配示例：

赌徒 dǔtú	....	gambler
流氓 liúmáng	....	hooligan
贼 zéi	....	thief

X

席 xí

<u>个体量词 Individual measure word</u>

▌用法 1

◀用法解释▶

用于计量酒宴。

Individual measure word for elaborate meals, usually for a special event.

◀语境示例▶

当　　经理　的　结婚，酒宴　一　办
Dāng jīnglǐ de jié hūn, jiǔyàn yí bàn

就 是 十几 席 。
jiù shì shíjǐ xí .

老百姓 办 喜事 也 就是 几 席
Lǎobǎixìng bàn xǐshì yě jiù shì jǐ xí

酒宴 。
jiǔyàn.

老板 家 的 丧事 也 是 十几 席
Lǎobǎn jiā de sāngshì yě shì shíjǐ xí

酒宴 。
jiǔyàn.

用法 2

◀用法解释▶

用于说明、表白等。

Individual measure word for talking, vindicating, etc.

◀语境示例▶

他 的 一 席 话 感动了 大家 。
Tā de yì xí huà gǎndòngle dàjiā.

听了 小 兰 的 一 席 表白 ，大家
Tīngle Xiǎo Lán de yì xí biǎobái, dàjiā

都 放心 了 。
dōu fàng xīn le.

■用法 3

◀**用法解释**▶

用于表示一个地方或地位。

Individual measure word for special space or political position.

◀**语境示例**▶

在 巴黎 墓地 能 占 一席 之 地 是
Zài Bālí Mùdì néng zhàn yì xí zhī dì shì

很 不 容易 的。
hěn bù róngyì de.

中国 在 联合国 占 重要 的
Zhōngguó zài Liánhéguó zhàn zhòngyào de

一 席。
yì xí.

妇女 在 旧 中国 没有 一席 之 地。
Fùnǚ zài jiù Zhōngguó méiyǒu yì xí zhī dì.

 xiá small box

容器量词 Container measure word

◀用法解释▶

计量小盒装的东西。

Container measure word for things in a case or small box.

◀搭配示例▶

一匣——

首饰
shǒushi

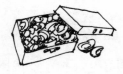

珠宝
zhūbǎo

下 xià

动量词 Measure word for verbs

◀用法解释▶

表示动作的次数。

Measure word to show the frequency of an action.

◀短语示例▶

考虑 一 下　　　　研究 一 下
kǎolǜ yí xià　　　　yánjiū yí xià

商量　　一 下
shāngliang yí xià

◀语境示例▶

医生　摇了　两　下 头。
Yīshēng yáole liǎng xià tóu.

小姑娘　　跳了 几 下。
Xiǎogūniang tiàole jǐ xià.

大　钟　敲了 十二 下。
Dà zhōng qiāole shí'èr xià.

 xiàng item

个体量词 Individual measure word

用法 1

◀用法解释▶

表个体量：用于制度、条款等。

Individual measure word for rules, articles, etc.

◀搭配示例▶

一项——

工作计划 gōngzuò jìhuà ········· work plan

法令 fǎlìng ········· decree

规定 guīdìng ········· stipulation

声明 shēngmíng ········· announcement

工程 gōngchéng ········· engineering

任务 rènwu ········· assignment

用法 2

◀用法解释▶

表个体量：用于体育运动项目。

Individual measure word for sport events.

◀语境示例▶

小　王　打破　两　项　世界　记录。
Xiǎo Wáng dǎpò liǎng xiàng shìjiè jìlù .

小　赵　拿了　3　项　大奖。
Xiǎo Zhào nále sān xiàng dàjiǎng.

女队　得了　一　项　冠军。
Nǚ duì déle yí xiàng guànjūn.

用法 3

◀用法解释▶

表个体量：用于钱款、账目等。

Individual measure word for sums of money, accounts, etc.

◀搭配示例▶

一项——

开支 kāizhī	....	expenditure
收入 shōurù	....	income
救灾款 jiùzāikuǎn	....	relief fund
资助 zīzhù	....	financial aid

 xiē some

不定量词 Indefinite measure word

用法 1

◀用法解释▶

表不定量：用于不确定量。

Indefinite measure word for indefinite quantity.

◀搭配示例▶

一些——

人 rén	………	human, people
动物 dòngwù	………	animal
东西 dòngxi	………	thing
事 shì	………	matter
想法 xiǎngfa	………	idea

用法 2

◀用法解释▶

用在动词、形容词后表示事物的性状。

Measure word following a verb or an adjective to indicate the state of an action or matter.

◀语境示例▶

蓝色 的 车 比 绿色 的 车 大 一 些。
Lánsè de chē bǐ lǜsè de chē dà yì xiē.

他 比 他 的 哥哥 高 一 些。
Tā bǐ tā de gēge gāo yì xiē.

Y

 yá section

部分量词 Partial measure word

◀**用法解释**▶
表部分量：用于小块的东西。
Partial measure word for part or bit of a solid substance.

◀**搭配示例**▶
一牙——

西瓜
xīguā

烤饼
kǎobǐng

苹果
píngguǒ

☺ 说明：

"牙"常用于分成长条状、小块的食品。

"Tooth-like thing" often used to describe a long, narrow piece or small lump of food.

眼 yǎn hole

临时量词 Temporary measure word

☺ 作临时名量词也作临时动量词。

Measure word for either nouns or verbs.

用法 1

◀用法解释▶

表个体量:用于泉水、井。

Individual measure word for spring or well.

◀搭配示例▶

一眼——

井
jǐng

泉水
quánshuǐ

用法 2

◀用法解释▶

表动量:用于看的次数。

Measure word for verbs to show the frequency of an action relating to eyes.

◀语境示例▶

女孩儿　冲　男孩儿飞了一眼。
Nǚháir　chòng nánháir fēile yì yǎn.

爸爸　瞪了　儿子　一　眼。
Bàba dèngle érzi yì yǎn.

样　yàng　kind

个体量词 Individual measure word

用法 1

◀用法解释▶

用于计量不同种类的东西。

Measure word for a variety of material objects.

◀短语示例▶

几　样　玩具　　　　两　样　衣服
jǐ yàng wánjù　　　liǎng yàng yīfu

几样　水果　　　　几　样　糖
jǐ yàng shuǐguǒ　　jǐ yàng táng

几　样　菜
jǐ yàng cài

用法 2

◀用法解释▶

用于计量抽象事物。

Measure word for some abstract things.

◀语境示例▶

一 个 福字 有 几十 样 写法。
Yí ge fúzì yǒu jǐshí yàng xiěfǎ.

面条 的 做法 至少 有 十几 样。
Miàntiáo de zuòfǎ zhìshǎo yǒu shíjǐ yàng.

 yè page

<u>部分量词 Partial measure word</u>

◀用法解释▶

用于计量书或杂志的一面。

Partial measure word for one side of a book or magazine.

◀语境示例▶

这 本 地理书 有 200 多 页。
Zhè běn dìlǐshū yǒu èrbǎi duō yè.

这 本 音乐 杂志 我 才 看了 几 页。
Zhè běn yīnyuè zázhì wǒ cái kànle jǐ yè.

他 今天 写了 三 页 讲稿。
Tā jīntiān xiěle sān yè jiǎnggǎo.

Z

盏　zhǎn

<u>个体量词 Individual measure word</u>

◀用法解释▶

用于计量灯。

Individual measure word for lamps.

◀短语示例▶

一　盏　小　油灯
yì zhǎn xiǎo yóudēng

一　盏　台灯
yì zhǎn táidēng

其他短语示例：

两　盏　日光灯
liǎng zhǎn rìguāngdēng

几　盏　彩灯
jǐ zhǎn cǎidēng

 zhàn　station; stop

部分量词 Partial measure word

◀用法解释▶

用于计量车行驶中的一段距离。

Measure word for the distance between the two stops of trains, buses, etc.

◀语境示例▶

从　家　到　电影院　只有　两　站　路。
Cóng jiā dào diànyǐngyuàn zhǐyǒu liǎng zhàn lù.

坐　电车　坐　三　站　就　到　银行　了。
Zuò diànchē zuò sān zhàn jiù dào yínháng le.

参观　　的　最后　一　站　是　新
Cānguān de zuìhòu yí zhàn shì xīn

图书馆　。
túshūguǎn.

 zhāng

<u>个体量词</u> Individual measure word

用法 1

◀用法解释▶

用于计量平面的或有面的东西。

Individual measure word for flat things, or things with a surface.

◀搭配示例▶

一张——

钞票
chāopiào

字画
zìhuà

其他搭配示例：

扑克牌 pūkèpái ············ playing cards

邮票 yóupiào ············ stamp

地图 dìtú ············ map

报纸 bàozhǐ ············ newspaper

车票 chēpiào ············ ticket

用法 2

◀ **用法解释** ▶

用于计量带有平面的家具。

Individual measure word for furniture with a flat surface.

◀ **搭配示例** ▶

一张——

沙发 shāfā ············ sofa

床 chuáng ············ bed

桌子 zhuōzi ············ table

用法 3

◀用法解释▶

用于计量像平面的东西。

Individual measure word for things with a flat surface.

◀搭配示例▶

一张—

bǐng
饼

其他搭配示例：

大网 dà wǎng ············ meshwork

用法 4

◀用法解释▶

用于计量弓等物。

Individual measure word for bows，etc.

◀搭配示例▶

一张——

弓
gōng

古琴
gǔqín

用法 5

◀用法解释▶

用于表示人和动物的嘴或脸。

Individual measure word for the mouth or face of a person or animal.

◀搭配示例▶

一张——

嘴
zuǐ

脸谱
liǎnpǔ

丈 zhàng

度量衡量词 Metrology measure word

用法 1

◀用法解释▶

用于计量布、绸缎的长度。

Measure word for the length of cloth, silk, etc.

293

◀ 短语示例 ▶

一　丈　长　的布
yí　zhàng cháng de bù

两　丈　长　的条幅
liǎng zhàng cháng de tiáofú

几　丈　长　的彩带
jǐ　zhàng cháng de cǎidài

三　丈　长　的绸子
sān zhàng cháng de chóuzi

用法 2

◀ 用法解释 ▶

用于计量建筑物的高度。

Measure word for the height of buildings.

◀ 短语示例 ▶

几十　丈　高的大楼
jǐshí　zhàng gāo de dàlóu

◀ 语境示例 ▶

电报　大楼　有几十丈　高。
Diànbào dàlóu yǒu jǐshí zhàng gāo.

这座　纪念塔　高　十几丈　。
Zhè zuò jìniàntǎ gāo shíjǐ zhàng.

天文台 高 数十 丈 。
Tiānwéntái gāo shùshí zhàng.

用法 3

◀用法解释▶

用于计量山谷、江河的深度。

Measure word for the depth of mountains, valleys or rivers.

◀语境示例▶

这 个 山谷 有 六 丈 深 。
Zhè ge shāngǔ yǒu liù zhàng shēn.

这 条 河流 水 深 三 丈 。
Zhè tiáo héliú shuǐ shēn sān zhàng.

这 个 湖 不 知 有 几 丈 深 。
Zhè ge hú bù zhī yǒu jǐ zhàng shēn.

阵 **zhèn**

动量词 Measure word for verbs

▌用法 1

◀用法解释▶

用于动作持续的一段时间量。

Measure word to indicate a period of time an action lasts.

◀短语示例▶

笑了 一 阵
xiàole yí zhèn

说了 一 阵
shuōle yí zhèn

哭了 一 阵
kūle yí zhèn

打了 一 阵
dǎle yí zhèn

折腾了 一 阵
zhētengle yí zhèn

▌用法 2

◀用法解释▶

用于突发事物的时间量。

Measure word for the period of an action that happens suddenly.

◀短语示例▶

刮起 一阵 大风
guāqǐ yí zhèn dàfēng

下了一阵 雨
xiàle yí zhèn yǔ

其他短语示例：

响起 一阵 掌声
xiǎngqǐ yí zhèn zhǎngshēng

飘来 一阵 烟雾
piāolái yí zhèn yānwù

支 zhī

个体量词 Individual measure word

用法 1

◀用法解释▶

用于计量歌曲。

Individual measure word for songs, etc.

◀搭配示例▶

民歌　　　　míngē

　　　　　　·················· folk song

流行歌曲　liúxíng gēqǔ

　　　　　　·················· popular song

民间小调　mínjiān xiǎodiào

　　　　　　·················· folk song

用法 2

◀用法解释▶

用于计量队伍等。

Individual measure word for troops，etc.

◀搭配示例▶

一支——

民兵　mínbīng　········· militia

航空兵hángkōngbīng　········· airman

队伍　duìwu　········· contingent，
　　　　　　　　　　　　 troop

游击队yóujīduì　········· guerilla

■用法 3

◀用法解释▶

用于计量杆状物品。

Individual measure word for rod-shaped goods.

◀搭配示例▶

一支——

香烟
xiāngyān

箭
jiàn

笔
bǐ

其他搭配示例：

圆珠笔	yuánzhūbǐ	············ ball pen
蜡烛	làzhú	············ candle

zhī

个体量词 Individual measure word

用法 1

◀ **用法解释** ▶

用于计量一对东西中的一个。

Measure word for the one of two things of the same kind.

◀ **搭配示例** ▶

一只——

手套 shǒutào	....	glove
耳套 ěrtào	....	earcap
皮鞋 píxié	....	leather shoes
袜子 wàzi	....	sock, stocking

用法 2

◀ **用法解释** ▶

用于计量人或动物的肢体、器官。

Measure word for one of the symetrical limbs or organs of people or animals.

◀搭配示例▶

一只——

眼睛
yǎnjing

其他搭配示例：

耳 ěrduo	·············	ear
脚 jiǎo	·············	foot
手 shǒu	·············	hand
胳膊 gēbo	·············	arm
腿 tuǐ	·············	leg

用法 3

◀用法解释▶

用于计量昆虫、动物。

Individual measure word for insects or animals.

◀搭配示例▶

一只——

鹅
é

青蛙
qīngwā

熊猫
xióngmāo

其他搭配示例：

狮子 shīzi	········· lion
蝴蝶 húdié	········· butterfly
毛毛虫 máomaochóng	········· caterpillar
螳螂 tángláng	········· mantis
老虎 lǎohǔ	········· tiger
小鸟 xiǎoniǎo	········· birdie

用法 4

◀用法解释▶

用于计量船和箱子。

Individual measure word for box or boat.

◀搭配示例▶

一只——

手提箱
shǒutíxiāng

小船
xiǎochuán

枝 zhī

__个体量词__ Individual measure word

用法 1

◀用法解释▶

用于计量花草。

Branch: individual measure word for flowers and grass.

◀搭配示例▶

一枝——

花
huā

■ 用法 2

◀用法解释▶

用于计量杆状的物品。

Individual measure word for rod-shaped article.

◀搭配示例▶

一枝——

长矛 chángmáo	…………	long spear
钢笔 gāngbǐ	…………	pen

☺ 说明：

"枝"同于"支"。

"枝" is similar to "支".

zhǒng　species, kind

集合量词 Collective measure word

▌用法 1

◀用法解释▶

用于计量同一类型的人或动植物。

Collective measure word for people, animals or plants of the same kind.

◀搭配示例▶

一种——

树
shù

鱼
yú

其他搭配示例：

长毛兔 chángmáotù	………	long-haired rabbit
卷毛羊 juǎnmáoyáng	………	sheep with curly fur
人　　 rén	………	human

用法 2

◀用法解释▶

用于计量同一类型的事物。

Collective measure word for things of the same kind.

◀搭配示例▶

一种——

帆船 fānchuán	………	sailing boat
轿车 jiàochē	………	car, bus
雪橇 xuěqiāo	………	sledge
电饭锅 diànfànguō	………	electric cooker

用法 3

◀用法解释▶

用于计量同一类型的抽象事物。

Collective measure word for abstract things of the same kind.

◀搭配示例▶

—种——

现象	xiànxiàng	········ phenomenon
看法	kànfǎ	········ opinion
情况	qíngkuàng	········ circumstance
习惯	xíguàn	········ habit
制度	zhìdù	········ system
思维	sīwéi	········ thinking; thought
脾气	píqi	········ temper

桩 zhuāng

个体量词 Individual measure word

◀用法解释▶

用于计量事件。

Individual measure word for events, matters, etc.

◀搭配示例▶

一桩——

杀人案 shārén'àn	········	homicide case
大事 dàshì	········	great event
家务事 jiāwùshì	········	housework
抢劫案 qiǎngjié'àn	········	robbery

幢 zhuàng

个体量词 Individual measure word

◀用法解释▶

用于计量建筑物。

Individual measure word for buildings.

◀搭配示例▶

一幢——

大厦
dàshà

其他搭配示例：

单元楼 dānyuánlóu
.... apartment building

公寓 gōngyù
.... flat apartment

 zhuō

临时量词 Temporary measure word

◀**用法解释**▶

用于计量酒宴或客人。

Measure word for feasts or guests.

◀**搭配示例**▶

一桌──

酒宴
jiǔyàn

客人
kèrén

其他搭配示例：

酒席 jiǔxí	········· feast
酒菜 jiǔcài	········· food and drink
家常饭 jiāchángfàn	········· simple meal

 zūn

个体量词 Individual measure word

用法 1

◀ **用法解释** ▶

用于计量大炮。

Individual measure word for cannons.

◀ **搭配示例** ▶

一尊——

炮
pào

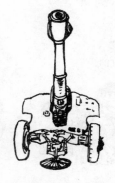

其他搭配示例:

青铜炮 qīngtóngpào
.... bronze cannon

■用法 2

◀用法解释▶

用于计量神像、雕塑等。

Individual measure word for the statues of gods or Buddhas, or sculptures, etc.

◀搭配示例▶

一尊

大佛
dàfó

雕像
diāoxiàng

◀语境示例▶

南开 大学 有 一 尊 周 总理 的
Nánkāi Dàxué yǒu yì zūn Zhōu zǒnglǐ de

雕像。
diāoxiàng.

乐山 有 一 尊 大佛。
Lè Shān yǒu yì zūn dàfó.

庙堂 里有 三 尊 佛像。
Miàotáng li yǒu sān zūn fóxiàng.

☺ 说明:

用于雕像,一般有崇敬的色彩。

Used to describe statues usually with a
sense of respect.

 zuǒ(r)   tuft

<u>集合量词</u> Collective measure word

◀用法解释▶

用于计量毛发等。

Collective measure word for a cluster of
hair growing closely together, etc.

◀搭配示例▶
一撮——

毛
máo

头发
tóufa

其他搭配示例:

羊毛 yángmáo ············ wool

白发 báifà ············ grey hair

◀语境示例▶

他 的 下巴 有 撮 毛。
Tā de xiàba yǒu zuǒ máo.

孩子 的 脑袋 顶 上 有 一 撮 头发。
Háizi de nǎodai dǐng shang yǒu yì zuǒ tóufa.

为了 赶 时髦，他 留了 两 撮 小 胡子。
Wèile gǎn shímáo, tā liúle liǎng zuǒ xiǎo húzi.

zuò

个体量词 Individual measure word

用法 1

◀用法解释▶

用于计量建筑物。

Individual measure word for buildings.

◀搭配示例▶

一座——

烽火台
fēnghuǒtái

纪念碑
jìniànbēi

大桥
dàqiáo

其他搭配示例：

宫殿 gōngdiàn	·········· palace
水坝 shuǐbà	·········· dam
城市 chéngshì	·········· city

用法 2

◀用法解释▶

用于计量山。

Individual measure word for mountains.

◀搭配示例▶

一座——

山 shān	·········· mountain
冰山 bīngshān	·········· iceberg

◀语境示例▶

新疆　有一座　火焰山，山石
Xīnjiāng yǒu yí zuò Huǒyàn Shān, shānshí

都　是　红　的。
dōu shì hóng de.

珠穆朗玛　　峰　是　中国　境内
Zhūmùlǎngmǎ Fēng shì Zhōngguó jìng nèi

一座　最　高　的　山峰。
yí zuò zuì gāo de shānfēng.

公园　里有　两　座假山。
Gōngyuán li yǒu liǎng zuò jiǎshān.

附录 1

汉英表量对照表

B

把	一把刀	a knife
	一把壶	a teapot
	一把椅子	a chair
	一把米	a handful of rice
	一把花	a bunch of flowers
	有一把年纪	be old or advanced in years
	有一把力气	be quite strong
	拉他一把	give (or lend) him a hand
	个把月	about a month; a month or so
	百把人	about a hundred people
班	搭下一班汽车进城	take the next bus to town
	一班青年人	a bunch of young people
帮	一帮小朋友	a group of children
包	一包香烟	a packet (or pack) of cigarettes
	一包棉纱	a bale of cotton yarn
抱	一抱草	armful of hay
本	两本书	two books
笔	一笔钱	a sum of money; a fund

遍	从头到尾看两遍	twice from cover to cover
	再说一遍	say it again
拨	两拨人	two groups of people
部	一部电影	a film
	一部好作品	a fine work of literature

C

册	一千册	1,000 copies (of a book)
场	一场大雨	a heavy fall of rain
	一场电影	a film show
	一场球赛	a ball game
出	一出戏	an opera; a play
串	一串珠子	a string of beads
	一串钥匙	a bunch of key
	一串葡萄	a cluster of grapes
床	一床被子	one quilt
次	三次	three times
	首次	first time
簇	一簇鲜花	a bunch of flowers

D

打	一打袜子	a dozen of socks
	按打出售	sell by the dozen
沓	一沓报纸	a pile of newspapers
	一沓信纸	a pad of letter paper
袋	一袋面粉	a sack of flour

道	一道缝儿	a crack
	两道门	two successive entrance
	三道防线	three lines of defence
	一道命令	an order
	四道数学题	four maths questions
	上四道菜	serve four courses
点	吃一点东西	have something to eat
	好点了	a bit better
	五点钟	five o'clock
顶	一顶帽子	a hat
	一顶帐子	a mosquito net
栋	一栋楼房	a building
度	再度	once more
	一年一度	once a year
段	一段路	certain distance
	一段话	a passage from a speech
	一段时间	a period of time
堆	一堆人	a crowd of people
对	一对花瓶	a pair of vases
	一对夫妇	a married couple
顿	三顿饭	three meals
	挨了一顿骂	get a scolding
朵	一朵花	a flower
	一朵云	a cloud

F

发	两发炮弹	two shells

番	另有一番风味	have an altogether different flavour
	三番五次	time and again
	下了一番功夫	put in a lot of effort
方	一方砚台	one ink-stone
	一方土	a cubic metre of earth
分		(of time or degree) minute (=1/60 of an hour or degree)
		(of money) *fen* (=1/100 of a yuan)
		(of weight) *fen* (=1/2 gram)
		(of area) *fen* (=66.666 sq. metres)
		(of length) *fen* (=1/3 centimetre)
份	一份礼物	a gift
	一份报纸	a copy of newspaper
	一份《中国日报》	a copy of *China Daily*
封	三封信	three letters
幅	一幅画	a picture; a painting
服	一服药	a dose of medicine
副	一副眼镜	a pair of glasses
	两副手套	two pairs of gloves
	一副笑脸	a smiling face
	一副庄严的面孔	a dignified appearance

G

杆	一杆秤	a steelyard
	一杆枪	a rifle
个	一个人	one person
	两个桃	two peaches
	三个星期	three weeks
	四个问题	four problems
	洗个澡	have a bath
	理个发	have a haircut
	有个二十分钟	about twenty minutes
	说个不停	talk on and on
根	一根火柴	a match
	两根筷子	a pair of chopsticks
股	一股泉水	a stream of spring water
	三股毛线	three skeins of knitting wool
	一股烟	a puff of smoke
	一股香味儿	a whiff of fragrant smell
	一股劲儿	a burst of energy
	一股敌人	a group of enemy soldiers
挂	一挂拖车	a trailer
	几挂鞭炮	several strings of firecrackers
管	一管牙膏	a tube of toothpaste

H

行	一行树	a row of trees
	四行诗句	four lines of verse

J

剂	一剂中药	a dose of Chinese herbal medicine
家	两家饭店	two restaurants
	一家电影院	a cinema
	两家人	two families
架	一架电视机	a TV set
间	一间卧室	a bedroom
件	一件衬衫	a shirt
	两件事	two things
	三件行李	three pieces of luggage
绞	一绞毛线	a skein of woollen yarn
届	本届联大	the present session of the U. N. General Assembly
	本届毕业生	this year's graduates
具	一具座钟	a desk clock
句	两句诗	two lines of verse

K

棵	一棵树	a tree
	一棵大白菜	a (head of) Chinese cabbage

颗	一颗珠子	a pearl
	一颗黄豆	a soybean
课	第一课	Lesson One
孔	一孔土窑	a cave-dwelling
块	三块巧克力	three chocolate bars
	一块面包	a piece of bread

L

粒	一粒米	a grain of rice
	三粒子弹	three bullets
辆	一辆卡车	a lorry
	两辆轿车	two cars
列	一列火车	a train
领	一领席	a mat
炉	一炉钢	a heat of steel
缕	一缕阳光	a sunlight
轮	一轮红日	a red sun
	新一轮会谈	a new round of talks

M

码	两码事	two entirely different matters
毛		one-tenth of a *yuan*
枚	一枚纪念章	a badge
	两枚古币	two ancient coins
门	两门大炮	two cannons
	两门功课	two subjects (courses)

米		metre
面	一面镜子	a mirror
	两面旗子	two flags
名	两百名代表	two hundred delegates
	第一名	come first; win first place

P

批	新到的一批货	a new lot of goods
	批量生产	batch production
	分两批走	go in two groups
匹	三匹马	three horses
	一匹布	a bolt of cloth
篇	三篇纸	three sheets of paper
	一篇文章	a piece of writing; an essay
片	一片面包	a slice of bread
	两片药	two tablets
	一片汪洋	a vast expanse of water
	一片欢腾	a scene of jubilation
撇	两撇胡子	two small turfs of moustache

Q

期	第一期工程	the first phase of the project
	上学期	last (school) term
	最近一期《时代》周刊	the latest issue of *Time*
畦		rectangular pieces of land in a field
起	两起罪案	two criminal cases

顷		unit of area
	碧波万顷	a boundless expanse of blue water
群	一群人	a crowd of people
	一群牛	a herd of cattle

R

任	做过两任大使	have been ambassador for two terms

S

身	一身新衣服	a new suit
首	一首歌	a song
束	一束鲜花	a bunch of flowers
双	一双筷子	a pair of chopsticks
艘	两艘鱼雷快艇	two torpedo boats
所	一所房子	a house
	两所学校	two schools

T

台	一台戏	a theatrical performance
	两台计算机	two computers
摊	一摊稀泥	a pool of mud
套	一套家具	a set of furniture
挑	一挑水	two buckets of water
条	两条鱼	two fish

	三条船	three ships
	四条建议	four proposals
帖	一帖药	a dose of herbal medicine
挺	轻重机枪六十余挺	over sixty heavy and light machine guns
通	骂了他一通	give him a dressing-down
头	三头牛	three heads of cattle
	两头骡子	two mules
	一头蒜	a bulb of garlic
团	一团毛线	a ball of wool
	一团面	a lump of dough

W

尾	两尾鱼	two fish
位	四位客人	four guests
文	一文钱	one penny
	一文不值	not worth a penny
窝	一窝十只小猪	ten piglets at a litter

X

席	一席酒	a banquet
	一席话	a talk
线	一线希望	a glimmer of hope
	一线光明	a gleam of light
些	这些	these
	好些	quite a few

	前些日子	recently
	写些信	write a few letters
	好些了	a little better
宿	住一宿	stay for one night

Y

样	两样玩具	two toys
页	一页纸	a piece of paper
元	(圆)	*yuan*, standard monetary unit in China

Z

则	新闻一则	a news item
	寓言四则	four fables
盏	一盏灯	a lamp
张	一张桌子	a table
	一张纸	a piece of paper
支	五支蜡烛	five candles
	三支铅笔	three pencils
	两支队伍	two contingents
枝	一枝枪	a rifle
	一枝樱花	a spray of cherry blossoms
只	一只手	one hand
	两只耳朵	two ears
	一只鸡	one chicken
	一只小船	a small boat

种	这种行为	this kind of behaviour
	好几种颜色	different colours
桩	一桩买卖	a business transaction
	小事一桩	a trifling matter
幢	两幢大楼	two big buildings
桌	两桌佳肴	two tables of delicious dishes
撮	一撮白毛	a tuft of white hair
座	一座山	a mountain
	一座桥	a bridge

附录 2

名词、量词搭配表

（限《汉语水平词汇与汉字等级大纲》中的名词）

A

阿姨 āyí → 个 位 群

哀思 āisī → 种

癌 ái → 种

爱好 àihào → 种 项

爱情 àiqíng → 种

爱人 àirén → 个 位

安排 ānpái → 次 个

安慰 ānwèi → 种

按语 ànyǔ → 个 条

案件 ànjiàn → 桩 宗 个

案情 ànqíng → 种 个

案子 ànzi → 个 桩 件

暗号 ànhào → 个 句

暗礁 ànjiāo → 个 块 座 群

袄 ǎo → 件 个

奥秘 àomì → 个

B

芭蕾舞 bālěiwǔ → 种 场

疤 bā → 个 块 条 道

把柄 bǎbǐng → 个 种

把手 bǎshou → 个 种

把戏 bǎxì → 类 种

坝 bà → 道 座

爸爸 bàba → 个

霸权 bàquán → 种

白菜 báicài → 棵 株 垄 畦

白酒 báijiǔ → 瓶 坛 碗 杯

白天 báitiān → 个

柏树 bǎishù → 棵 株 排

摆设 bǎishe → 件 种

扳子 bānzi → 把 个

班 bān→ 个

班机 bānjī→ 趟

班长 bānzhǎng → 位 个

班子 bānzi → 套 个

板 bǎn→ 块 个

板擦儿 bǎncār → 个

板凳 bǎndèng → 个 条

版面 bǎnmiàn →块 张 幅

办法 bànfǎ → 个 系列

办公室 bàngōngshì → 个 间

办事处 bànshìchù → 个 间

半导体 bàndǎotǐ → 台 个

半岛 bàndǎo → 个

伴侣 bànlǚ → 个 位

帮手 bāngshou → 个 名 位

榜样 bǎngyàng → 个 种

棒 bàng → 根 条

棒球 bàngqiú → 个

磅秤 bàngchèng → 台

包儿 bāor → 个

包裹 bāoguǒ → 个 件

包子 bāozi → 个 笼 屉 锅 兜

雹子 báozi → 场 阵

宝贝 bǎobèi → 个 件

宝剑 bǎojiàn → 把 柄

宝库 bǎokù → 座 个

宝石 bǎoshí → 块 件

保育员 bǎoyùyuán →个 名 位

堡垒 bǎolěi → 座 个

报 bào→ 张 种 份

报告 bàogào → 个 篇 份 场

报社 bàoshè →个 家

报纸 bàozhǐ → 张 份

刨子 bàozi → 把 个

抱负 bàofù → 个 种

暴力 bàolì → 种 类

暴行 bàoxíng → 种 类

暴雨 bàoyǔ → 阵 场

爆竹 bàozhú → 个 串 挂

杯子 bēizi → 个 套 摞

悲剧 bēijù → 个 出 场

碑 bēi→ 个 块 座

碑文 bēiwén → 篇 段

备忘录 bèiwànglù → 份 个

背包 bèibāo → 个 只

背景 bèijǐng → 个 种

背心 bèixīn →件 个 打 箱

被 bèi →床 条 个

被单 bèidān →床 条 个

被告 bèigào →个 名

被面 bèimiàn →幅 条 个

被子 bèizi →床 条 个

本事 běnshi →种 类 个
项

本性 běnxìng →种 类 个

本子 běnzi →个 本

笨蛋 bèndàn →个

绷带 bēngdài →卷 条

鼻涕 bítì →把 滴

鼻子 bízi →个 只

匕首 bǐshǒu →把 个

比赛 bǐsài →场 项 届
个

比喻 bǐyù →个

笔 bǐ →支 枝 管 根

笔记 bǐjì →本 篇

弊病 bìbìng →种 类

壁橱 bìchú →个 口

壁画 bìhuà →幅 个

边界 biānjiè →条 道

鞭炮 biānpào →个 串 挂

鞭子 biānzi →根 条

扁担 biǎndan →根 条

便条 biàntiáo →个 张

辫子 biànzi →条 个

标本 biāoběn →个 件

标兵 biāobīng →个 名

标记 biāojì →个 种

标签 biāoqiān →个 张 枚

标语 biāoyǔ →张 幅 条
个

标准 biāozhǔn →个 种

表 biǎo →个 只 块

表格 biǎogé →张 份

表皮 biǎopí →层 张

表情 biǎoqíng →种

别字 biézì →个

宾馆 bīnguǎn →座 个 家

冰 bīng →块 层

冰雹 bīngbáo →粒 颗 场

冰棍 bīnggùn →根 支 箱

冰淇淋 bīngqílín →份 客

冰箱 bīngxiāng →个 台

饼 bǐng →块 张 个

饼干 bǐnggān →块 包

病 bìng →种 场

病毒 bìngdú →种

病房 bìngfáng →号 间 个

病号 bìnghào →个

病假 bìngjià →天　周　月
　　　　　　年
病人 bìngrén →个　位　名
玻璃 bōli →块　层
博士 bóshì →个　位　名
博物馆 bówùguǎn →座　个
补丁 bǔding →个　块　片
布 bù →块　幅　匹
布告 bùgào →张　个
布景 bùjǐng →堂　套　台
布鞋 bùxié →双　只
部队 bùduì →个　支
部落 bùluò →个
部长 bùzhǎng →个　位　名

C

才干 cáigàn →种
才能 cáinéng →种
财产 cáichǎn →份
裁缝 cáifeng →个　位　群
彩旗 cǎiqí →面　个
彩霞 cǎixiá →片　道
菜 cài →棵　捆　畦　挑
　　　　篮　碗　盘　道
　　　　种　斤
菜单 càidān →张　个　份

菜园 càiyuán →个　片
参议院 cānyìyuàn →个
餐车 cānchē →辆　个
餐具 cānjù →副　套
餐厅 cāntīng →个　家
蚕 cán →条
蚕丝 cánsī →根　束　绕
仓库 cāngkù →个　座　间
苍蝇 cāngying →只　个
槽 cáo →个
草 cǎo →棵　株　根　捆
　　　　片　丛　堆　垛
草地 cǎodì →片
草稿 cǎogǎo →个　份　张
草帽 cǎomào →顶　个
草坪 cǎopíng →块　片
草图 cǎotú →个　幅　张
草鞋 cǎoxié →双　只
草原 cǎoyuán →片
厕所 cèsuǒ →个　间
侧面 cèmiàn →个　种
叉子 chāzi →把　个
差距 chājù →段　个
插曲 chāqǔ →段　个　曲
插销 chāxiāo →个
插座 chāzuò →个

茶馆 cháguǎn →座 间 个

茶壶 cháhú →把 个

茶话会 cháhuàhuì →个

茶叶 cháyè →包 筒 盒

柴 chái →把 捆 担 跺
         挑

柴油 cháiyóu →升 桶

蝉 chán →只 个

产品 chǎnpǐn →种 类 系列

铲子 chǎnzi →把

长处 chángchu →个 种

肠子 chángzi →条 根

常识 chángshí →种 类
         条 些

厂家 chǎngjiā →个

厂子 chǎngzi →个 家

场地 chǎngdì →个 片

场合 chǎnghé →个 种

场面 chǎngmiàn →种 类

场所 chǎngsuǒ →个

唱片 chàngpiàn →张 盒

钞票 chāopiào →张 沓
         叠

朝代 cháodài →个

潮流 cháoliú →个 种

车 chē →辆 班

车床 chēchuáng →台

车厢 chēxiāng →节 个

车站 chēzhàn →个 座

尘土 chéntǔ →层

衬衫 chènshān →件

衬衣 chènyī →件

称号 chēnghào →个 种

成分 chéngfèn →个 种

成绩 chéngjì →分 项 种
         类

城 chéng →座 个

城市 chéngshì →个 座

城镇 chéngzhèn →座 个

乘客 chéngkè →个 位 车
         船

程度 chéngdù →种

秤 chèng →杆 台

池塘 chítáng →个

池子 chízi →个

尺 chǐ →把 个 条

翅膀 chìbǎng →个 只 对
         双

虫子 chóngzi →条 只 个

抽屉 chōuti →个 只

绸子 chóuzi →匹 段 块
         尺

锄头 chútou →把　柄

橱窗 chúchuāng →个　面

橱柜 chúguì →个

处方 chǔfāng →个　张

传单 chuándān →张　个

传统 chuántǒng →个　种

传真 chuánzhēn →份　张
　　　　　　　　个

船 chuán →只　条　艘

窗 chuāng →个　扇

窗户 chuānghu →个　扇

窗帘 chuānglián →块　道
　　　　　　　　个　副

床 chuáng →张　个

床单 chuángdān →条　幅

创举 chuàngjǔ →个　种　项

炊事员 chuīshìyuán →个　位
　　　　　　　　　名

锤子 chuízi →把　个

词 cí(词语 cíyǔ)→个

词 cí(诗词 shīcí)→首　阕

词典 cídiǎn →本　部　个
　　　　　　套

磁带 cídài →盘　盒

葱 cōng→根　棵　捆　垄
　　　　洼　段

村子 cūnzi →个

锉 cuò →把　个

错误 cuòwù →个　种　条

D

答案 dá'àn →份　个

答卷 dájuàn →份　个

大便 dàbiàn →摊　堆

大臣 dàchén →个　位

大道 dàdào →条

大海 dàhǎi →片　个

大街 dàjiē →条

大理石 dàlǐshí →块　车

大陆 dàlù →片

大米 dàmǐ →粒　把　袋
　　　　　碗

大拇指 dàmǔzhǐ →个

大脑 dànǎo →个

大炮 dàpào →门　个

大学 dàxué →个　所

大雁 dàyàn →只　个　群
　　　　　　队

大衣 dàyī →件

大夫 dàifu →个　位　名

代表 dàibiǎo →个　位　名

带子 dàizi →条　个

单据 dānjù →张　个

单元 dānyuán →个

担架 dānjià →副

胆子 dǎnzi →个

掸子 dǎnzi →把　个

担子 dànzi →副　个

弹药 dànyào →批　箱

刀 dāo →把　个

刀片 dāopiàn →片　个

导弹 dǎodàn →批　个　枚

导演 dǎoyǎn →个　位

岛 dǎo →个　群　座

倒爷 dǎoyé →个　位

道路 dàolù →条

稻草 dàocǎo →根　捆　把

灯 dēng →盏　个

灯光 dēngguāng →片　线
　　　　　　　　　　圈

灯泡 dēngpào →个　箱　只

凳子 dèngzi →个　条

堤坝 dībà →道　条

敌人 dírén →个

笛子 dízi →枝　个

底片 dǐpiàn →张　卷

地 dì →块　片　垄　亩

地方 dìfang →个　处

地毯 dìtǎn →块　张

地图 dìtú →张　幅　本

典型 diǎnxíng →个　种

点心 diǎnxin →包　份　盒
　　　　　　　　　块

电报 diànbào →份　个

电车 diànchē →辆　个

电池 diànchí →节　对　组
　　　　　　　　块

电灯 diàndēng →盏

电动机 diàndòngjī →个　台

电风扇 diànfēngshàn →台　个

电话 diànhuà →部　个

电视机 diànshìjī →台　个

电线 diànxiàn →条　段　截
　　　　　　　　卷

电影 diànyǐng →个　部　场

店员 diànyuán →个　位　名

垫子 diànzi →个　块

淀粉 diànfěn →袋　盒　盆
　　　　　　　勺

碉堡 diāobǎo →个　座

雕塑 diāosù →个　尊

碟子 diézi →个　箱

钉子 dīngzi →个　根　枚
　　　　　　　颗

定理 dìnglǐ →个 条 系列

东西 dōngxi →个 件 样
　　　　　包 箱

冬瓜 dōngguā →个 块

董事 dǒngshì →位 个

动物 dòngwù →群 类 种

洞 dòng →个 眼

斗笠 dǒulì →顶

豆 dòu →粒 颗 把 碗
　　　袋

豆腐 dòufu →块 碗 盘

毒品 dúpǐn →批 袋 箱

毒蛇 dúshé →条 个

读物 dúwù →本 种 类

渡船 dùchuán →条 只

队伍 duìwu →支 行

对联 duìlián →副 个

E

鹅 é →只 个 群

蛾子 ézi →只 个 群

鳄鱼 èyú →条 个

恩人 ēnrén →位 个

儿歌 érgē →首 支

儿女 érnǚ →双 群

儿童 értóng →个 名

耳朵 ěrduo →双 对 只

耳机 ěrjī →副 个

F

发票 fāpiào →张

法令 fǎlìng →道 系列

法则 fǎzé →条 系列

饭 fàn →顿 餐 份 桌
　　　口 盒

饭店 fàndiàn →个 家

方式 fāngshì →种 个

防线 fángxiàn →条 道

房东 fángdōng →个 位

房间 fángjiān →个

房子 fángzi →间 所 座
　　　　栋 幢 处
　　　　片

飞机 fēijī →架 班

飞行员 fēixíngyuán →个 位
　　　　　　名 队

肥皂 féizào →块 条

废话 fèihuà →句 篇

废墟 fèixū →片 座

费用 fèiyong →笔

坟 fén →座 个

粉条 fěntiáo →把 捆

风 fēng →阵　股

风波 fēngbō →场

风景 fēngjǐng →处　道

风俗 fēngsú →种　类

风味 fēngwèi →种　类

风险 fēngxiǎn →场

风灾 fēngzāi →场

风筝 fēngzheng →只　个

封条 fēngtiáo →张

蜂 fēng →只　群

蜂蜜 fēngmì →罐　碗　桶
　　　　　　筒　瓶

缝儿 fèngr →条　道

夫妻 fūqī →对

扶手 fúshou →个

服务员 fúwùyuán →个　位
　　　　　　　名

服装 fúzhuāng →套　身

符号 fúhào →个　系列

斧子 fǔzi →把　个

妇女 fùnǚ →名　批　班
　　　　　群

G

改锥 gǎizhuī →把　个

盖子 gàizi →个

概念 gàiniàn →个　种

甘蔗 gānzhe →根　枝　节
　　　　　　捆　车

杆子 gānzi →根　个　捆

干部 gànbù →个　位　名

缸 gāng →口　个

钢板 gāngbǎn →块

钢笔 gāngbǐ →枝　管

钢管 gāngguǎn →根　截
　　　　　　车　捆

钢盔 gāngkuī →顶　个

钢琴 gāngqín →架　个　台

岗位 gǎngwèi →个

港口 gǎngkǒu →个

高粱 gāoliang →片　捆　棵

膏药 gāoyao →张　块　贴

稿子 gǎozi →篇　个

镐 gǎo →把

疙瘩 gēda →个

胳膊 gēbo →条　只　个
　　　　　　双

鸽子 gēzi →只　对　群
　　　　　　窝

歌儿 gēr →首　支　个

歌手 gēshǒu →位　个

歌星 gēxīng →个　位

革命 gémìng →场　次

根 gēn →个　条

工厂 gōngchǎng →个　家
　　　　　　　　　　座

工程 gōngchéng →项　个

工具 gōngjù →个　件　样
　　　　　　　　　种

工人 gōngrén →个　位　名

工序 gōngxù →道　系列

工艺品 gōngyìpǐn →件　个

工资 gōngzī →份

工作 gōngzuò →件　项　个
　　　　　　　　行

弓 gōng →张

公路 gōnglù →条

公式 gōngshì →个　行

公司 gōngsī →家　个

公园 gōngyuán →个　座

功课 gōngkè →门

功能 gōngnéng →个　种
　　　　　　　　项

宫殿 gōngdiàn →座

沟 gōu →条　道

狗 gǒu →只　条

姑娘 gūniang →个　位　帮

谷物 gǔwù →堆　批

谷子 gǔzi →粒

骨头 gǔtou →根　块

鼓 gǔ →面　个

故事 gùshi →个　篇　段

瓜 guā →个

瓜子儿 guāzǐr →粒　颗　袋

挂面 guàmiàn →把

拐棍 guǎigùn →根　个　捆

关口 guānkǒu →个　道

观点 guāndiǎn →个　种
　　　　　　　系列

观众 guānzhòng →个　群
　　　　　　　　位

官员 guānyuán →个　位
　　　　　　　　名

棺材 guāncai →口　个　具

管子 guǎnzi →根　段　截

灌木 guànmù →棵　丛

罐头 guàntou →个　听　箱
　　　　　　　盒

罐子 guànzi →个

光 guāng →道　圈　丝

规矩 guīju →种　类

规律 guīlǜ →条　系列

柜子 guìzi →个

桂冠 guìguān →顶　个

棍子 gùnzi →根 条 个

锅 guō →口 个

国籍 guójí →个

国家 guójiā →个

国旗 guóqí →面

国土 guótǔ →片 块

果树 guǒshù →棵

H

孩子 háizi →个 帮 群

海员 hǎiyuán →个 位 名

害虫 hàichóng →只 种 群

含义 hányì →个 种

寒假 hánjià →个

汉字 Hànzì →个 行

汗 hàn →滴

航线 hángxiàn →条

号码 hàomǎ →个

禾苗 hémiáo →棵 片

和尚 héshang →个 位

河 hé →条 道

河道 hédào →条

河堤 hédī →道

河流 héliú →条

核 hé →个

核桃 hétao →筐 个

荷花 héhuā →朵 片

盒子 hézi →个

黑板 hēibǎn →块

红领巾 hónglǐngjīn →条

红旗 hóngqí →面 杆

红星 hóngxīng →颗

虹 hóng →道 条

猴子 hóuzi →只 个

狐狸 húli →只 个

胡子 húzi →撮 绺 把 根

壶 hú →把 个

湖 hú →个

葫芦 húlu →个 只

蝴蝶 húdié →只 个 对

护士 hùshì →个 位 名

花儿 huār →朵 枝 束 簇

花瓣 huābàn →个

花镜 huājìng →副 个

花篮 huālán →只 个

花盆儿 huāpénr →个

花圈 huāquān →个

花生 huāshēng →粒 颗

花招 huāzhāo →个

化肥 huàféi → 把　堆　批
　　　　　　　袋　船　车
　　　　　　　箱

画儿 huàr → 张　幅　轴

画报 huàbào → 本　册

画片 huàpiàn → 张

话 huà → 句　段　席　番

话剧 huàjù → 场　出　幕

黄豆 huángdòu → 粒　颗
　　　　　　　　碗　堆
　　　　　　　　袋

黄瓜 huánggua → 条　根
　　　　　　　　畦　篮

灰 huī → 撮　层　把　堆

徽章 huīzhāng → 枚　个

汇款 huìkuǎn → 笔

会场 huìchǎng → 个

会议 huìyì → 个　届

混合物 hùnhéwù → 瓶　种

火 huǒ → 把　团

火柴 huǒchái → 根　包　盒

火车 huǒchē → 列　节

火箭 huǒjiàn → 枚　支

货物 huòwù → 件　批　宗

祸 huò → 场　个

J

机场 jīchǎng → 个

机车 jīchē → 部

机床 jīchuáng → 台　个

机构 jīgòu → 个

机会 jīhuì → 个　种

机器 jīqì → 台　架

机枪 jīqiāng → 挺

鸡 jī → 只　个　窝　群

基地 jīdì → 片　个

激光 jīguāng → 束

激情 jīqíng → 种

集体 jítǐ → 个

计划 jìhuà → 个　项

技术 jìshù → 门　项　种

迹象 jìxiàng → 种

家 jiā → 个

家伙 jiāhuo → 个

家具 jiājù → 件　样　套
　　　　　　屋

家庭 jiātíng → 个

甲板 jiǎbǎn → 块

肩膀 jiānbǎng → 个　双

监狱 jiānyù → 座　间　所

剪刀 jiǎndāo → 把

建筑 jiànzhù →座

剑 jiàn →把　柄

箭 jiàn →枝

江 jiāng →条

姜 jiāng →块　斤

讲稿 jiǎnggǎo →篇　本　册
　　　　　　　　　沓　摞

奖章 jiǎngzhāng →枚　个

交易 jiāoyì →笔　宗

郊区 jiāoqū →片

胶卷 jiāojuǎn →个　卷　盒

焦点 jiāodiǎn →个

角 jiǎo →个　只　对

脚 jiǎo →只　双

轿车 jiàochē →辆　个

轿子 jiàozi →顶　乘　抬
　　　　　　　　个

教室 jiàoshì →个　间

教员 jiàoyuán →个　位　名

街 jiē →条

节目 jiémù →个　道

借条 jiètiáo →张

金鱼 jīnyú →条　个

筋 jīn →条　根

锦旗 jǐnqí →面

劲儿 jìnr →把　股

经验 jīngyàn →个　种

井 jǐng →眼　口　个

景色 jǐngsè →片

警察 jǐngchá →个　位

境界 jìngjiè →种

镜子 jìngzi →面

纠纷 jiūfēn →场

酒 jiǔ →瓶

居室 jūshì →间　套

橘子 júzi →个　瓣

俱乐部 jùlèbù →个　间　家

剧本 jùběn →个

剧院 jùyuàn →座　家

距离 jùlí →段

锯 jù(锯子 jùzi)→把

捐款 juānkuǎn →笔

角色 juésè →个　名

军队 jūnduì →支　批

军舰 jūnjiàn →艘　条　只

军旗 jūnqí →面

军装 jūnzhuāng →件　套

菌 jūn →种　类

K

卡车 kǎchē →辆

卡片 kǎpiàn →张　个

341

量词一点通

看法 kànfǎ →个 种

炕 kàng →个 铺

客 kè →个 位

课 kè →堂 节 门

课程 kèchéng →门

课文 kèwén →篇 段 课

口袋 kǒudai →个 条

口号 kǒuhào →个 句

口子 kǒuzi →个 道

扣子 kòuzi →个 粒

窟窿 kūlong →个

苦心 kǔxīn →片

裤子 kùzi →条

筷子 kuàizi →枝 根 双
　　　　　　把

款子 kuǎnzi →笔 宗

筐 kuāng

　（筐子 kuāngzi）→个 副

矿井 kuàngjǐng →口 个

矿山 kuàngshān →座 个

矿石 kuàngshí →堆 批

框子 kuàngzi →个

葵花 kuíhuā →朵

昆虫 kūnchóng →只 种

L

垃圾 lājī →堆 车 袋

喇叭 lǎba →个 支

蜡烛 làzhú →枝 根

辣椒 làjiāo →个 串 畦
　　　　　嘟噜 棵

来宾 láibīn →位 个

栏杆 lángān →道

篮球 lánqiú →个

篮子 lánzi →个 只

狼 láng →只 匹 条 个

榔头 lángtou →把 个

浪潮 làngcháo →个

劳动力 láodònglì →个 群
　　　　　　　　批

老虎 lǎohǔ →只 个

老师 lǎoshī →个 位

老鼠 lǎoshǔ →只 个

烙饼 làobǐng →张 块

雷 léi →个 声

雷达 léidá →个

雷雨 léiyǔ →阵 场

泪 lèi →滴

泪痕 lèihén →条 道

类型 lèixíng →个 种

梨 lí →只 个 箱

犁 lí →张 架

篱笆 líba →道 圈

342

礼服 lǐfú →套 身

礼堂 lǐtáng →个 座

礼物 lǐwù →件 样 份

理由 lǐyóu →个 条 点

力量 lìliang →股 种

历史 lìshǐ →段 部

立交桥 lìjiāoqiáo →座 个

例子 lìzi →个 些

帘子 liánzi →个 副 挂

莲子 liánzǐ →个 把 兜
　　　　篮 盒

镰刀 liándāo →把

脸 liǎn →张

脸盆 liǎnpén →个 只

练习本 liànxíběn →个 本

链子 liànzi →条 个

凉鞋 liángxié →只 双

粮食 liángshi →粒 颗 堆

亮光 liàngguāng →束 片

镣铐 liàokào →个 副

烈士 lièshì →个 位

猎狗 liègǒu →只 条

猎枪 lièqiāng →枝 杆

铃 líng →个 串

零件 língjiàn →个

领带 lǐngdài →条 个

领土 lǐngtǔ →片 块

领袖 lǐngxiù →个 位 名

流氓 liúmáng →个 帮 群
　　　　伙

硫酸 liúsuān →瓶 桶

柳树 liǔshù →棵 排

龙 lóng →条 只 个

楼 lóu →层 座 个

楼房 lóufáng →座 栋 所
　　　　幢

炉子 lúzi →个 只

陆地 lùdì →片 块

鹿 lù →个 只

路 lù →条 步 站

路线 lùxiàn →条 个

露水 lùshuǐ →滴 颗

驴 lǘ →头 条 只

旅馆 lǚguǎn →个 家 座

律师 lùshī →个 位 名

轮船 lúnchuán →艘 条 只

轮子 lúnzi →个 只

论点 lùndiǎn →个 系列

论文 lùnwén →篇 册 本

论著 lùnzhù →部 个 本

萝卜 luóbo →个 筐 畦
　　　　块 碗

锣 luó →面　个

箩筐 luókuāng →个　只

骡 luó →匹　头

骆驼 luòtuo →匹　峰　个
　　　　　　　　队

M

麻 má →棵　株　根　缕

麻袋 mádài →条　个

麻绳 máshéng →条　股
　　　　　　　　根

马 mǎ →匹　只

马达 mǎdá →台　个

马铃薯 mǎlíngshǔ →个　筐
　　　　　　　　堆

马戏 mǎxì →场

码头 mǎtou →个　座

买卖 mǎimai →笔　桩　宗

麦子 màizi →粒　颗　棵
　　　　　　　株　垄　车
　　　　　　　口袋

馒头 mántou →个　屉　锅

盲人 mángrén →个　位

猫 māo →只　个　窝

毛 máo →根　撮　绺

毛笔 máobǐ →枝

毛病 máobìng →个　种

毛巾 máojīn →条　块

毛线 máoxiàn →根　股　支
　　　　　　　团

毛衣 máoyī →件

矛盾 máodùn →个　对

茅屋 máowū →间　座　所

帽子 màozi →顶　个

玫瑰 méigui →朵　束　棵
　　　　　　　株

眉毛 méimao →根　道　双
　　　　　　　对

梅花 méihuā →朵　束　棵
　　　　　　　株

煤 méi →堆　块

门 mén →扇　道　个　重

门市部 ménshìbù →个　间

门诊 ménzhěn →个　次

梦 mèng →个　场

谜语 míyǔ →条　个

米 mǐ →粒　堆　把

蜜蜂 mìfēng →只　群

棉袄 mián'ǎo →件

棉被 miánbèi →条

棉花 miánhua →棵　株　团
　　　　　　　堆

面包 miànbāo →个 片
面孔 miànkǒng →副
庙 miào →座 个
民歌 míngē →首 个
民族 mínzú →个
名称 míngchēng →个
名胜 míngshèng →处
名字 míngzi →个
明信片 míngxìnpiàn →张 个
　　　　　　　　　　杳
命 mìng →条
命令 mìnglìng →条 道 个
命运 mìngyùn →种
模范 mófàn →个 位
摩托车 mótuōchē →辆
蘑菇 mógu →个 筐
墨 mò →锭 块
磨 mò →盘 个 眼 扇
木板 mùbǎn →块
木材 mùcái →批 堆 垛
木头 mùtou →根 块
目标 mùbiāo →个
目光 mùguāng →道
目录 mùlù →个 条
牧场 mùchǎng →个 片
　　　　　　　　块

牧民 mùmín →家 个
牧区 mùqū →片
墓 mù →座 个

N

内衣 nèiyī →件 身
奶粉 nǎifěn →袋 筒
南瓜 nánguā →个 块
难关 nánguān →道 个
难民 nànmín →批 群 个
闹钟 nàozhōng →只 个
泥 ní →块 堆 摊
碾子 niǎnzi →个 盘
鸟 niǎo →只 个 群
尿 niào →泡
牛 niú →头 条 只
纽扣 niǔkòu →个 粒 颗
农村 nóngcūn →个
农具 nóngjù →个 副 套
　　　　　　　　种
暖瓶 nuǎnpíng →个 只

O

偶像 ǒuxiàng →个 座 尊
藕 ǒu →根 节

P

耙 pá →把 柄 个

拍 pāi →个 副

牌 pái →张 副

牌子 páizi →块 个

派别 pàibié →个

派出所 pàichūsuǒ →个

盘子 pánzi →个

螃蟹 pángxiè →只 个 篓

胖子 pàngzi →个

炮 pào →门 尊 座

炮弹 pàodàn →发 颗

炮艇 pàotǐng →艘 只

盆 pén →个

朋友 péngyou →个 位 帮

皮 pí →张 层 块

皮包 píbāo →个 只

皮带 pídài →条

皮货 píhuò →批 件

啤酒 píjiǔ →瓶 桶 杯
　　　　　　　扎

琵琶 pípa →面 个

劈柴 pǐchái →块 堆

癖好 pǐhào →个 种

骗子 piànzi →个 伙

票 piào →张

苹果 píngguǒ →个 筐 箱
　　　　　　　　篮 兜

瓶子 píngzi →个 箱

坡 pō →道 个

葡萄 pútao →颗 串 嘟噜
　　　　　　　　棵 架

铺子 pùzi →个 家

瀑布 pùbù →个 道 条

Q

奇迹 qíjì →个

奇闻 qíwén →个 件 桩

棋 qí →副 盘 步 局

棋子 qízǐ →个 只

旗 qí →面 杆

企业 qǐyè →个 家

气 qì →股 团

气体 qìtǐ →种

气味 qìwèi →股 种

气质 qìzhì →种 类

汽车 qìchē →辆

铅笔 qiānbǐ →枝 支

钱 qián →笔

钳子 qiánzi →把 个

枪 qiāng →枝 支 杆 条

强盗 qiángdào →个 伙
　　　　　　　帮

墙 qiáng →堵 垛 道

墙报 qiángbào →期

侨胞 qiáobāo →个 位 名

侨民 qiáomín →个 位 名
　　　　　　　户

桥 qiáo →座

窍门 qiàomén →个

亲戚 qīnqi →个 门 家
　　　　　　处

琴 qín →把 架

青蛙 qīngwā →只 群

氢弹 qīngdàn →枚 颗

情况 qíngkuàng →个 种
　　　　　　　　类

球 qiú →个 场

球鞋 qiúxié →只 双

渠 qú →条

曲子 qǔzi →支 个

拳头 quántou →个 双 只

裙子 qúnzi →条

群众 qúnzhòng →批 帮

R

燃料 ránliào →桶 种

热水瓶 rèshuǐpíng →个 只

热血 rèxuè →滴 摊 腔

人 rén →个 帮 伙 口
　　　　班 代

人家 rénjiā →个 户 家

人口 rénkǒu →批

人马 rénmǎ →队 列

任务 rènwu →个 项

日记 rìjì →篇 本 册

容器 róngqì →个

肉 ròu →块 片 斤 碗

褥子 rùzi →条 个

S

塞子 sāizi →个

伞 sǎn →把

嗓子 sǎngzi →副 条 个

扫帚 sàozhou →把

森林 sēnlín →个 处 片

沙子 shāzi →粒 撮 把
　　　　　　　堆

傻子 shǎzi →个

筛子 shāizi →个 面

山 shān →座 重

山沟 shāngōu →条

山谷 shāngǔ →个

347

山脉 shānmài →条
山坡 shānpō →道
闪电 shǎndiàn →道
扇子 shànzi →把
伤 shāng →处 块
伤疤 shāngbā →块 条 道
伤口 shāngkǒu →个 条
　　　　　　道
商场 shāngchǎng →个 座
商品 shāngpǐn →个 件
　　　　　　样 批
　　　　系列
上衣 shàngyī →件
烧饼 shāobing →个 块
勺子 sháozi →把 个
舌头 shétou →条 个
蛇 shé →条
设备 shèbèi →批 个 种
身体 shēntǐ →个
神经 shénjīng →根 条
神态 shéntài →种
声音 shēngyīn →个
牲口 shēngkou →头 群
绳子 shéngzi →条 根
尸体 shītǐ →具 个
师傅 shīfu →位 个

诗 shī →句 首 行 组
狮子 shīzi →头
石头 shítou →块 堆
时间 shíjiān →个 段
食物 shíwù →种 批
屎 shǐ →泡 摊
士兵 shìbīng →个 名 队
市 shì →个
市民 shìmín →个 位
式样 shìyàng →种 类
事 shì →件 桩 回
事业 shìyè →个 项
势力 shìlì →个 股 种
柿子 shìzi →个
嗜好 shìhào →种 个
收入 shōurù →笔 项
收条 shōutiáo →张 个
手 shǒu →只 双
手表 shǒubiǎo →块 只
　　　　　　个
手巾 shǒujin →条 块
手铐 shǒukào →副
手套 shǒutào →副 双 只
手纸 shǒuzhǐ →卷 张
手镯 shǒuzhuó →个 只
　　　　　　副 对

首饰 shǒushi →样 件 副

书 shū →本 册 部 课
　　　　卷 套 摞 页

书报 shūbào →批 摞

书店 shūdiàn →个 家

书桌 shūzhuō →张

梳子 shūzi →把

蔬菜 shūcài →捆 堆 挑
　　　　　　担

树林 shùlín →片

树枝 shùzhī →根 枝 条

刷子 shuāzi →把

霜 shuāng →场

水 shuǐ →滴 摊 汪 桶
　　　杯

水坝 shuǐbà →道 条

水泵 shuǐbèng →台

水果 shuǐguǒ →个 堆 种

水壶 shuǐhú →把 个

水库 shuǐkù →座 个

水渠 shuǐqú →条

水塔 shuǐtǎ →座

水田 shuǐtián →块

水域 shuǐyù →片 块

税 shuì →笔 种

睡衣 shuìyī →件 身 套

丝 sī →根 缕

思想 sīxiǎng →个 种 类

寺庙 sìmiào →个 座

饲料 sìliào →把 堆

松树 sōngshù →棵 株

宿舍 sùshè →个 间

塑像 sùxiàng →个 座 尊

蒜 suàn →头 瓣 畦

算盘 suànpan →个 把

隧道 suìdào →条 个

穗儿 suìr →个

笋 sǔn →棵 株 根 个

锁 suǒ →把

锁链 suǒliàn →条 根

T

塔 tǎ →座 重 个 层

台灯 táidēng →盏 个

台风 táifēng →场 次

坛子 tánzi →个

痰 tán →口

毯子 tǎnzi →条 个

炭 tàn →块 堆

糖 táng →块 颗 包 袋

桃子 táozi →个

梯子 tīzi →个 架

提纲 tígāng →个

提琴 tíqín →把

题 tí →道 个

题目 tímù →个 系列

蹄子 tízi →只 个

体操 tǐcāo →套

体系 tǐxì →个

天 tiān →片

天线 tiānxiàn →支 根

田 tián →块 片 畦

田野 tiányě →片

挑子 tiāozi →副

条件 tiáojiàn →个 种

条子 tiáozi →张

铁 tiě →块 堆

铁板 tiěbǎn →块

铁丝 tiěsī →根 条 段 截 卷

亭子 tíngzi →个 座

庭院 tíngyuàn →个 座 处

艇 tǐng →只 个 条

同学 tóngxué →个 位 名

同志 tóngzhì →个 位 名

桶 tǒng →只 个

头发 tóufa →根 络 缕

头巾 tóujīn →块 条

图案 tú'àn →个 块 幅

图画 túhuà →张 幅

图书 túshū →批 摞

图章 túzhāng →颗 枚 个 方

土 tǔ →把 撮 层 堆

土地 tǔdì →块 片

土豆 tǔdòu →个 堆 筐

兔子 tùzi →只 个 窝

团体 tuántǐ →个

推子 tuīzi →把 个

腿 tuǐ →条 只 双

托儿所 tuō'érsuǒ →所 间 个

拖拉机 tuōlājī →台

拖鞋 tuōxié →双 只

唾沫 tuòmo →口

W

瓦 wǎ →块 片

袜子 wàzi →双 只

外宾 wàibīn →个 位 名

外衣 wàiyī →件 套

外语 wàiyǔ →门 种

豌豆 wāndòu →个 颗 粒 碗 筐

丸药 wányào →粒 颗 丸

玩具 wánjù →个 套 副
　　　件 种

晚饭 wǎnfàn →顿 餐

碗 wǎn →个 摞

危害 wēihài →个 种

围巾 wéijīn →条

桅杆 wéigān →条

维生素 wéishēngsù →种 瓶

尾巴 wěiba →条 根 个

卫星 wèixīng →颗

位置 wèizhi →个

味儿 wèir →股 种

文件 wénjiàn →个 份 摞
　　　叠

文章 wénzhāng →篇 段

蚊帐 wénzhàng →个 只

问题 wèntí →个 系列 类

屋子 wūzi →间

午饭 wǔfàn →顿 餐

武器 wǔqì →批 件 个
　　　种

舞蹈 wǔdǎo →个 种

误差 wùchā →个 些

雾 wù →片 团 层

X

西服 xīfú →件 套 身

西红柿 xīhóngshì →个 筐
　　　斤

习惯 xíguàn →个 种

席位 xíwèi →个

席子 xízi →领 张 卷

洗衣机 xǐyījī →台

喜鹊 xǐquè →个 只

喜事 xǐshì →件

戏 xì →出 台 个

细菌 xìjūn →种

虾 xiā →只 个

霞 xiá →片

霞光 xiáguāng →片 道

夏季 xiàjì →个

仙女 xiānnǚ →位 个

先生 xiānsheng →位 个

弦 xián →根

现金 xiànjīn →笔

线 xiàn →条 根 股 轴
　　　团

宪法 xiànfǎ →部

香 xiāng →根 支 盘 炷

香肠 xiāngcháng →根

香蕉 xiāngjiāo →把　根

箱子 xiāngzi →个　口　只

项链 xiàngliàn →条

相片 xiàngpiàn →张　幅
　　　　　　　　叠

象 xiàng →头　只

橡皮 xiàngpí →块

消息 xiāoxi →个　条　则

小说 xiǎoshuō →篇　本
　　　　　　　部　章

协定 xiédìng →个　条

鞋 xié →双　只

血 xiě →滴　摊　片

心 xīn →颗　条　个

心意 xīnyì →片　番

信 xìn →封

信件 xìnjiàn →批　摞

信箱 xìnxiāng →只　个

信纸 xìnzhǐ →张　页

星 xīng →颗　个

刑法 xíngfǎ →种

行李 xíngli →件　堆

形式 xíngshì →种

熊 xióng →只　头

熊猫 xióngmāo →只

袖子 xiùzi →只

选民 xuǎnmín →个　批

靴子 xuēzi →双　只

学生 xuésheng →个　名
　　　　　　　位　班
　　　　　　　　届

学问 xuéwen →门

学校 xuéxiào →所　个

雪 xuě →场　片

血管 xuèguǎn →条　根

血迹 xuèjì →片　块

血债 xuèzhài →笔

血战 xuèzhàn →场

勋章 xūnzhāng →枚

Y

鸭子 yāzi →只　个　窝
　　　　　　　群

牙齿 yáchǐ →颗　个　排
　　　　　　　口

牙膏 yágāo →支　管

牙签 yáqiān →根　只　个

牙刷 yáshuā →把　支　个

烟 yān →股　缕　团

烟卷儿 yānjuǎnr →盒　支

盐 yán →撮　把　堆

颜色 yánsè →种

眼睛 yǎnjing →只　个　双
　　　　　　　　对
眼镜 yǎnjìng →副　个
眼泪 yǎnlèi →滴　串　行
　　　　　　　把　汪
演说 yǎnshuō →篇　个
宴会 yànhuì →个
谚语 yànyǔ →条　个　句
雁 yàn →只　行　群
燕子 yànzi →只
秧苗 yāngmiáo →把　摞
　　　　　　　　棵　株
秧田 yāngtián →块　畦
羊 yáng →只　头　群
阳光 yángguāng →片　线
养料 yǎngliào →种
样品 yàngpǐn →个　车
样子 yàngzi →种　个
腰带 yāodài →根　条
药 yào →粒　片　副　服
　　　　　剂　味　丸　瓶
药方 yàofāng →张　个
药膏 yàogāo →张　块　贴
药丸 yàowán →个　丸
要素 yàosù →个　条
钥匙 yàoshi →把　串　嘟噜

野心 yěxīn →个　种
叶子 yèzi →片　张　丛
衣服 yīfu →件　套　身
医生 yīshēng →个　位　名
医院 yīyuàn →所　家　个
　　　　　　　座
仪器 yíqì →台　件　架　种
仪式 yíshì →项
移民 yímín →个　批
遗产 yíchǎn →笔　份　批
疑案 yí'àn →个　件　桩
椅子 yǐzi →把　个
义务 yìwù →项　个
议案 yì'àn →项　个
意见 yìjiàn →个　条　点
　　　　　　　些
意识 yìshí →种
意思 yìsi →个　种　层
毅力 yìlì →种
因素 yīnsù →种　个
音响 yīnxiǎng →套　台
银幕 yínmù →个
银行 yínháng →个　家　所
印象 yìnxiàng →个　种　点
影片 yǐngpiàn →部　个
影子 yǐngzi →个　条

硬币 yìngbì →枚　个

邮票 yóupiào →张　枚　套

油 yóu →瓶　桶

油漆 yóuqī →瓶　桶

游人 yóurén →批　个　圈

鱼 yú →条　尾

鱼网 yúwǎng →个　副
　　　　　　　张　顶

雨 yǔ →场　阵

雨伞 yǔsǎn →把

元首 yuánshǒu →个　位

园地 yuándì →块

园林 yuánlín →片　处

原则 yuánzé →条　个　项

院子 yuànzi →个　座

乐器 yuèqì →件

乐曲 yuèqǔ →首　支　段
　　　　　　　章　组

云 yún →朵　片　团

云彩 yúncai →朵

运动 yùndòng →场　项　次

运河 yùnhé →条

Z

杂志 zázhì →本　份　期　卷

灾荒 zāihuāng →场　次

葬礼 zànglǐ →个

枣儿 zǎor →个

灶 zào →个　座

贼 zéi →个　伙

渣 zhā →堆

闸门 zhámén →道　座

栅栏 zhàlan →道

炸弹 zhàdàn →枚　颗　个

债 zhài →笔

战斗 zhàndòu →场　次

战略 zhànlüè →种

战旗 zhànqí →面

战士 zhànshì →个　名　位
　　　　　　　班　队

战线 zhànxiàn →条

战争 zhànzhēng →场　次

掌声 zhǎngshēng →片

帐子 zhàngzi →顶

账 zhàng →笔　本

账目 zhàngmù →本

障碍 zhàng'ài →道　个

招待会 zhāodàihuì →个

招牌 zhāopai →块　个

照片 zhàopiàn →张　幅

照相机 zhàoxiàngjī →架　个
　　　　　　　　　台

针 zhēn →根 枚 个

珍珠 zhēnzhū →颗 粒 串

真理 zhēnlǐ →个

枕巾 zhěnjīn →个 对

枕头 zhěntou →个 对

阵地 zhèndì →个

阵营 zhènyíng →个

争论 zhēnglùn →场 次

争议 zhēngyì →个 项

整顿 zhěngdùn →次

整风 zhěngfēng →次

证件 zhèngjiàn →个 张

证书 zhèngshū →张 个

政策 zhèngcè →项 条 个

政府 zhèngfǔ →个 届

政权 zhèngquán →个

知识 zhīshi →种 类

职务 zhíwù →个 项

职业 zhíyè →项 个 行

纸 zhǐ →张 片 刀 沓
　　　页

纸张 zhǐzhāng →批

指头 zhǐtou →个

志愿 zhìyuàn →种 个

制度 zhìdù →项 个 种

制服 zhìfú →件 套

中药 zhōngyào →副 味
　服 剂 丸 包 瓶
　盒 种

钟 zhōng →个 座

肿瘤 zhǒngliú →个

种子 zhǒngzi →颗 粒

皱纹 zhòuwén →条

珠子 zhūzi →颗 粒 串

猪 zhū →头 口 窝

竹子 zhúzi →根 节

主张 zhǔzhāng →项 个

住宅 zhùzhái →所 座

助手 zhùshǒu →个 位

柱子 zhùzi →根

著作 zhùzuò →本 部 套

蛀虫 zhùchóng →条 只

砖 zhuān →块 摞 堆

庄稼 zhuāngjia →片

桩子 zhuāngzi →根

状况 zhuàngkuàng →种 类

锥子 zhuīzi →把 个

准则 zhǔnzé →条 项 种

桌子 zhuōzi →张 个

姿态 zītài →种

资金 zījīn →笔

资料 zīliào →批

滋味 zīwèi → 种 类

子弹 zǐdàn → 发 颗 粒

子女 zǐnǚ → 批

子孙 zǐsūn → 批

字 zì → 个 行 笔

字典 zìdiǎn → 本 部

字母 zìmǔ → 个

总结 zǒngjié → 个 份

总统 zǒngtǒng → 位 个

走廊 zǒuláng → 道

足球 zúqiú → 个 筐

钻 zuàn → 台 把

钻石 zuànshí → 块 粒 颗

嘴 zuǐ → 张 个

嘴巴 zuǐba → 张

罪 zuì → 个 项 种

罪犯 zuìfàn → 个 名

作风 zuòfēng → 种 类

作家 zuòjiā → 个 位

作品 zuòpǐn → 个 部

作物 zuòwù → 种 类

作者 zuòzhě → 个 位

座儿 zuòr → 个

座位 zuòwèi → 个

座右铭 zuòyòumíng → 条

后　记

　　印欧语系语言量词缺项，量词是汉藏语系的独有特征，相对其他词类，量词研究薄弱。对外汉语量词教学理论研究则只是刚刚起步。量词是对外汉语教学的难点，如何教外国人正确地使用量词并非是一件易事，为外国人编写量词搭配词典需要有相当的量词理论研究作为基础。本书是北京语言大学出版社编辑张健女士动意组编的《实用汉语学习丛书》中的一本。如果不是张女士执意邀请，实在不敢动笔。我对量词的研究始于 1986 年。汉语量词丰富又复杂，直至2000 年我出版了《现代汉语量词研究》一书，仍觉还有不少问题有待深入研究。量词次范畴的界定、划类问题就是一个复杂的问题，至今在语法学界中并没有一个共识，但为使读者有一个明晰的了解,本书涉及了这个问题,给每个量词作了归类,供汉语学习者和同行学者参考。

书中的用法解释及说明的英语释义以及两个附录由邢飞先生、邢希先生完成;全书的汉语拼音审定及编写说明的英语译文由夏晓晨女士完成;全书的英语译文由南开大学外语学院院长、博士生导师刘士聪教授审定。由于汉语量词与英语表量方式不同,在英语释义及英语审定上他们都费了一番苦心,从而方便了读者,为本书增强了实用价值。

书中颇具风格的插图由画家何强完成。何强作画一丝不苟,甚至画一盘钢丝也为笔画的气韵连贯几易画稿。他的画为此书增添了情趣和色彩。

对于以上诸位的诚恳相助及贡献,编者在此一并表示诚挚谢意。

何杰　教授